CB006469

# VENDAS EM TEMPOS DE CRISE

TOM HOPKINS

# VENDAS EM TEMPOS DE CRISE

Tradução de:
EDUARDO RIECHE

5ª edição

RIO DE JANEIRO – 2024

CIP-BRASIL. CATALOGAÇÃO NA FONTE
SINDICATO NACIONAL DOS EDITORES DE LIVROS, RJ

Hopkins, Tom
H766v Vendas em tempos de crise: como gerar resultados quando ninguém
5ª ed. está comprando/ Tom Hopkins; tradução Eduardo Rieche. – 5ª ed. –
Rio de Janeiro: Best Business, 2024.

Tradução de: Selling in Tough Times
Inclui índice remissivo
ISBN 978-85-68905-02-9

1. Vendas. 2. Administração comercial. I. Título.

CDD: 658.85
15-19050 CDU: 658.85

*Vendas em tempos de crise*, de autoria de Tom Hopkins.
Texto revisado conforme o Acordo Ortográfico da Língua Portuguesa de 1990.
Quinta edição impressa em junho de 2024.
Título original norte-americano:
SELLING IN TOUGH TIMES

Copyright © 2010 by Tom Hopkins International, Inc.
Publicado mediante acordo com Grand Central Publishing, New York, New York, USA.
Todos os direitos reservados. Proibida a reprodução, no todo ou em parte, sem autorização prévia por escrito da editora, sejam quais forem os meios empregados.

Capa: Sérgio Campante sobre imagem iStockphoto.

Direitos exclusivos de publicação em língua portuguesa para o Brasil adquiridos pela Best Business um selo da Editora Best Seller Ltda.
Rua Argentina 171 – 20921-380 – Rio de Janeiro, RJ – Tel.: (21) 2585-2000 que se reserva a propriedade literária desta tradução.

Impresso no Brasil

ISBN 978-85-68905-02-9

Por mais de trinta anos, a Tom Hopkins International tem conseguido prosperar, atendendo às necessidades de vendedores de todas as partes do mundo. Devido ao empenho e à dedicação de uma equipe incrível, consegui escrever 15 livros, realizar mais de 4.500 seminários ao vivo e produzir inúmeras horas de material audiovisual com lições sobre como vender. Serei eternamente grato a essas pessoas maravilhosas:

Spencer Price, Gerente Financeiro

Laura Oien, Presidente

Judy Slack, Diretora de Pesquisa & Desenvolvimento *(e ghost writer)*

Kristine Weaver, Gerente

Linda Hunt, Atendimento ao Cliente

Frank Valenzuela, Gerente de Operações de Estoque

Sharon Kolacny, Recepcionista *(competentíssima)*

Deborah Scroggins, Gerente de Seminários *(e minha assistente pessoal)*

Rosie Wolfrum, Contas a Receber

Michael Hansen, Coordenador de TI

# Agradecimentos

Gostaria de agradecer especificamente ao "inventor de milionários", Dan S. Kennedy, e a sua colega Laura Laaman, instrutora de vendas, por suas contribuições no livro.

Um agradecimento especial a minha editora, Leila Porteous, da Grand Central Publishing.

# Sumário

# Introdução

Alguns dos empresários mais ricos e influentes da atualidade começaram no segmento de vendas — podem ser encontrados regularmente na lista Os 400 Norte-Americanos mais Ricos da *Forbes* — e são líderes de grandes corporações. E não ganham necessariamente o status de campeões ou constroem suas fortunas durante os momentos econômicos mais favoráveis. Pelo contrário, muitos deles encontraram maneiras de conquistar uma parcela do mercado atendendo a uma necessidade específica ou trabalhando duro para aprimorar o que estava sendo oferecido pela concorrência.

Para citar alguns desses empresários:

Sheldon Adelson, o líder bilionário da Las Vegas Sands Corporation;
S. Daniel Abraham, da Thompson Medical Company (empresa que fabrica e comercializa os produtos Slim-Fast);
Anne Mulcahy, Diretora Executiva da Xerox;
Richard M. Schulze, da Best Buy;
Philip H. Knight, da Nike.

Eles entenderam que os negócios não têm a ver com produtos. Tratam-se de atender às necessidades das pessoas. Na verdade, a partir de agora, quando você ouvir o termo *mercado*, quero que entenda que isso significa *pessoas*. Quando estiver vendendo, estará lidando com pessoas. Você vende seus produtos e serviços para pessoas. Portanto, comunicar-se com elas e compreender suas necessidades e motivações é primordial quando o assunto é vender.

Pelo fato de operarem em ciclos, as indústrias, as economias e as empresas dependem de pessoas. E as pessoas precisam das empresas para obter produtos e gerar empregos. Qualquer transtorno nos negócios costuma exigir mudanças que impactarão os envolvidos — tanto funcionários quanto clientes.

Para muitos, *mudança* é uma das palavras mais assustadoras em nosso vocabulário. Para aqueles que aprenderam a aceitar a mudança, seu impacto não é tão devastador. Para aqueles que querem que as coisas permaneçam como estão, pode ser totalmente apavorante. Quando as pessoas se deixam paralisar pelo medo, param de tomar decisões — especialmente aquelas que envolvem a sua segurança (leia-se: dinheiro).

Todos os negócios operam em ciclos. Há ciclos ascendentes, descendentes e de todas as gradações possíveis neste intervalo. E você pode ser bem-sucedido em qualquer um deles. Na verdade, não importa muito o que está acontecendo no mercado quando você é um verdadeiro profissional de vendas. A chave para o sucesso está dentro de você e no que acredita em relação à sua posição atual no ciclo de negócios. Saber o quanto está preparado para responder proativamente a cada ciclo que encontrará em sua longa carreira é o assunto deste livro.

Perceba que, em crises econômicas ou da indústria, o trabalho do profissional de vendas é mais vital que nunca. Em tempos difíceis, alguns consumidores não comprarão outra coisa a não ser aquilo de que realmente necessitam. É função do vendedor ajudá-los a reconhecer a necessidade e a capacidade de adquirir outros itens.

Há uma escassez de compradores impulsivos que, geralmente, são o alento dos empresários. E os clientes principais e mais importantes podem estar diminuindo seus pedidos ou espaçando-os cada vez mais. Novamente, cabe à equipe de vendas continuar a atender às necessidades desses grandes clientes e ajudá-los a atravessar os tempos de crise, para que, quando tudo voltar ao normal, eles permaneçam fiéis a você, à sua marca e à sua empresa.

Cabe aos vendedores do mundo, aqueles que se arriscam todos os dias, mostrar a que vieram e fazer as coisas acontecerem. Este é o mesmo conselho que dei, aqui nos Estados Unidos, naqueles paralisantes dias após o choque dos ataques de 11 de Setembro. Não se tratava de amenizar a tragédia, mas continuar fazendo o que sabíamos fazer de melhor: nos reerguer e seguir em frente. Somente fazendo as coisas normalmente é que a sensação de normalidade retorna.

Talvez seja necessário adaptar seu pensamento e algumas de suas estratégias para conseguir vender sua visão em meio a uma crise, mas saiba que isso já foi realizado por milhões de profissionais de vendas que enfrentaram desastres piores do que aquele que está à sua frente.

As vendas podem e devem continuar durante tempos de crise. E os verdadeiros profissionais que compreendem e agem sobre o que precisa ser feito não apenas sobrevivem, mas prosperam.

Dominar a arte de vender é dominar a arte de oferecer a seus clientes os produtos, serviços e contato pós-venda que eles desejam, precisam e, mais importante do que isso, merecem. É assim que as pessoas e as organizações escaparão dos maremotos e das montanhas-russas do futuro. É assim que elas não apenas sobreviverão a qualquer desafio, mas prosperarão, terão sucesso e alcançarão a excelência.

Acredite em mim. Passei por essa montanha-russa e enfrentei (e sobrevivi) os níveis ascendentes e descendentes da mudança. Entendo de vendas. Realizava um trabalho de grande esforço físico, carregando aço em obras, antes de descobrir o quão empolgante o mundo das vendas poderia ser. Investindo em mim e em algum treinamento, entrei no ramo da corretagem de imóveis. Trabalhei arduamente para atender ao maior número possível de clientes, e consegui atingir o sucesso que estava muito aquém dos meus sonhos. Decidi transferir-me para o treinamento de vendas depois de observar quantos colegas se comportavam como eu costumava me comportar, amando o que faziam, mas sem entender que as técnicas de vendas devem ser aprendidas, como qualquer outra habilidade. Hoje, a Tom Hopkins International é reconhecida como a mais importante organização de treinamento de vendas nos Estados Unidos. Por favor, assimile as palavras deste livro e procure senti-las. Sei do que estou falando. Sei, também, que você pode usar o que aprender aqui para alcançar a maioria dos seus mais caros objetivos e, mais do que isso, oferecer excelentes serviços aos seus clientes por meio das vendas.

# 1. O que realmente é a profissão de vendedor

O filósofo inglês Alfred North Whitehead escreveu: "O futuro está repleto de possibilidades de realização e de tragédias." O modo como lidamos com essas possibilidades, e talvez mais importante do que isso, como lidamos com os desafios, determinará se nos deleitaremos com nossas próprias realizações ou colheremos nossas próprias tragédias.

Sempre que nos deparamos com tempos de crise, é preciso arregaçar as mangas. Quanto mais cedo você focar no que está acontecendo e nas ações a ser tomadas para superar esta fase, em vez de se lamentar sobre qualquer acontecimento negativo, será possível continuar seguindo em frente, melhorando a situação atual.

Isso pode soar como uma solução extremamente simplificada — e é mesmo —, mas qual é a vantagem de se lamentar, se queixar e ficar comentando o quanto a situação está difícil? Na verdade, quanto mais focarmos na queda das vendas, na má reputação vista na mídia, na perda de um cliente importante ou na assustadora economia global, mais prolongaremos seus efeitos, em decorrência de nossa própria inércia.

Quando insistimos em falar sobre o lado negativo das coisas, nos tornamos parte do problema. Estamos colaborando para disseminar o vírus das más notícias, como se estivéssemos disseminando qualquer outro tipo de vírus, por não lavar as mãos ou tampar a boca quando tossimos. De fato, tampar a boca é a melhor resposta para a saúde mental e física se pensarmos no que é potencialmente viral, seja um vírus verdadeiro ou apenas más notícias. Precisamos pensar, agir e viver no presente.

Vamos enfrentar a situação. Se você permanecer em qualquer carreira por tempo suficiente, será obrigado a passar por dois ciclos, o ascendente e o descendente. A maneira de lidar com eles dependerá muito de suas causas.

## AS CAUSAS DOS TEMPOS DIFÍCEIS

### Demografia

As pessoas mudam. Uma alteração atual e dramática nos índices demográficos tem e continuará a ter um enorme impacto sobre a economia global. Nos Estados Unidos, uma dessas é chamada de "envelhecimento da América". Na realidade, é o envelhecimento da população mundial como um todo. Se você trabalha no mercado internacional em constante ascensão, observe. Um grande número de pessoas da geração do *baby boom* está percebendo que suas necessidades estão mudando. As empresas terão de se adaptar a essa nova onda de mudança ou serão engolidas por ela.

Ao mesmo tempo, as corporações precisam suprir as necessidades dos jovens de hoje quando se trata de bens tecnológicos, financeiros e de consumo. Ao mesmo tempo em que a avó pode não se importar ou entender que a próxima versão dos aparelhos de MP3 terá um recurso para marcar o tempo de viagem, os netos, que em breve controlarão grande parte da riqueza do mundo, se importam. E se importam muito.

Tempos de crise podem se tornar verdadeiramente difíceis para certas empresas. Descobrir, conquistar e, então, manter bons clientes será um grande desafio, se não o *maior* desafio, no incerto futuro à nossa frente. Mas, vale reforçar, há uma maneira de enfrentá-lo.

Mais do que nunca, empresas e fornecedores particulares devem focar em construir organizações e combinar produtos e serviços que atendam às necessidades específicas de uma extensa variedade de indivíduos e organizações.

## Ciclos econômicos

A economia continuará a ser volátil. "É claro, Tom, quando ela não foi volátil?" Quem desenvolver a habilidade para prever com precisão o que acontecerá na economia governará o mundo!

Nos primeiros dias deste século, acompanhamos um crescimento fenomenal em muitas indústrias de serviços. Por anos, foi impossível assistir a um noticiário de televisão, ler uma revista de assuntos gerais ou folhear o jornal local sem ler histórias fascinantes sobre o boom dos imóveis ou os inacreditáveis lucros da bolsa de valores.

Isso é ótimo, mas, como nos ensina a lei universal, toda prosperidade é seguida por um fiasco e tempos de crise —

ou, em termos mais suaves e gentis, um "ajuste". Tudo o que sobe, declina. Evidentemente, é bem provável que as coisas (seja lá o que forem) voltem a crescer no momento propício do ciclo econômico.

Somente os empresários perspicazes estarão em condições de resistir à montanha-russa descendente e chegar à inevitável volta por cima. As empresas e os indivíduos que trabalham dentro delas terão de se posicionar como fornecedores dignos, por meio de uma ação rápida, uma combinação adequada entre produtos e serviços para seu(s) mercado(s), e a oferta de um serviço justo e pessoal.

## Política

Não importa qual partido político você apoie ou, até mesmo, se você se considera apolítico. Por favor, entenda isso. Você está profunda, intensa e intimamente envolvido na política — em nível municipal, estadual e federal. Não há como escapar.

Você pensa que não? Pense novamente. Se você for anti ou pró-governo, ou estiver em alguma posição intermediária, pouco importa. O governo — a política — é um fator importante no sucesso ou no fracasso de seu negócio, na conquista de seus objetivos e no processo de obtenção de um futuro seguro, saudável e feliz.

Muitos setores têm estado sob intensa observação de reguladores municipais, estaduais e federais, além de outras instâncias governamentais. Essa tendência continuará enquanto houver pessoas inescrupulosas e gananciosas, tanto na liderança quanto em posições de vendas.

Um dos elementos-chave para o que acontece no mundo dos negócios envolve a ética. Pense nos grandes escândalos que abalaram o mundo dos negócios nos últimos anos. As operações de poupança e concessão de empréstimos dos anos 1980, por exemplo. A utilização de informações privilegiadas. Worldcom. Tyco. ImClone Systems (Martha Stewart). Enron.

Devido às consequências de alguns desses escândalos, as pessoas que ocupam os cargos mais altos no mundo dos negócios já estão sendo responsabilizadas. A conclusão de muitas dessas falhas (das empresas e de seus líderes) parece, muitas vezes, resumir-se à ganância e/ou a frágeis padrões éticos.

Para prevenir uma futura violação em massa das práticas de negócios, todos nós precisamos intensificar nossos esforços e transformar o termo *responsabilidade* em algo predominante em nossas missões. Um dos melhores livros sobre este assunto é o *Você é mais capaz do que pensa*, de John G. Miller. A obra é prática, universal e atemporal, pois a responsabilidade se aplica a pessoas e a organizações, não importando o que está acontecendo. Neste capítulo, falaremos mais sobre a ética pessoal e como ela afetará sua margem de sobrevivência.

Atualmente, as regulamentações comerciais são intensas em todos os níveis. Com o passar dos anos, elas tendem a se tornar mais complexas. A regulamentação acirrada e o controle governamental aumentarão o risco da perda do seu emprego, de sua renda e, até mesmo, do seu negócio. A incapacidade de compreender e agir em conformidade com o peso cada vez maior das regulamentações pode ser desastrosa. Os custos do descumprimento, o abalo na reputação, a perda de uma base sólida de consumidores e o risco de oferecer produtos e serviços ruins ou mal direcionados podem destruir qualquer negócio.

Sempre pratiquei e promovi a ideia de seguir os mais altos padrões possíveis da prática de negócios. Se os padrões típicos de seu setor são baixos, não se renda a eles. Aumente o nível. Aderir aos mais altos padrões éticos será essencial para desenvolver e manter a fidelidade do cliente — a base de todo o sucesso. Especialmente durante tempos de crise, você deve ser um exemplo vivo de sólidos valores morais. Não se afaste de sua base de clientes, ajude-os a atravessar esse período, e eles ficarão com você por um longo tempo.

**Tecnologia**

As ondas da mudança continuam a ser produzidas paralelamente às novas tecnologias que proporcionam melhores meios para oferecer serviços aprimorados e mais personalizados a preços mais acessíveis. No entanto, como em todos os campos, a implementação da mudança tecnológica tem seus prós e contras. Você precisa analisar qualquer mudança potencial na sua maneira de fazer negócios em termos do resultado final para seus clientes.

Por que um cliente potencial precisaria se deslocar até o centro da cidade ou ter o espaço pessoal de sua casa invadido por um vendedor, quando, no mesmo intervalo de tempo, ele pode comprar em meia dúzia ou mais de sites on-line? Sabemos que o motivo seria o fato de os vendedores serem especialistas em seu setor, e a menos que o cliente esteja interessado em investir a mesma quantidade de tempo que você investiu para aprender a realizar o seu negócio, ele não estará inclinado a tomar decisões verdadeiramente boas. Mas poucos consumidores entendem isso.

Por que o consumidor, seja homem ou mulher, precisa se vestir, pegar o carro, enfrentar o tráfego e esperar na fila para comprar algo, quando pode se sentar em casa, tomar café em seu roupão de banho e concluir uma compra digitando em um teclado?

Por que exatamente?

A solução pode estar no desafio. A tecnologia pode ser fácil. As pessoas podem ser levadas a acreditar que não precisam de você — do vendedor. Se o seu site diz ao cliente tudo aquilo que você lhe diria, você pode se tornar obsoleto — mas não são muitos os sites que oferecem um serviço personalizado. Eles não conseguem analisar qual produto se encaixa melhor às verdadeiras necessidades do cliente neste momento e ainda considerar as necessidades futuras.

A tecnologia é ótima, mas apenas quando utilizada como um acessório para serviços genuinamente pessoais, voltados para resolver cada desafio individual dos clientes.

**Indústria**

Houve tempos, e continuará a haver, em que determinados setores da indústria sofrem. Alguns que me vêm à mente são as indústrias de bens compartilhados, as indústrias de imóveis e de hipotecas, as indústrias automotivas e os serviços relacionados ao crédito. Todos esses setores já sofreram baques grandes. Em alguns casos, foi preciso que se policiassem para evitar descuidos e se reinventassem para continuar fortes, fornecendo serviços muito necessários e muito solicitados por consumidores, mas que não eram mais oferecidos como antes.

## Mãe Natureza

Se você vive perto do litoral, é bem provável que uma grande tempestade seja suficiente para fazer alguns negócios fecharem por um tempo. Os insulanos dos Estados Unidos enfrentam anualmente a temporada de tornados. Certas partes do país são mais propensas a incêndios florestais do que outras. E a quantidade exagerada de neve deixa os outros Estados em suspenso.

Quando a Mãe Natureza entra em ação, todos nós precisamos parar, administrar nossas necessidades mais básicas e diminuir o ritmo até que essas intempéries passem e todos nós nos recuperemos. Então, juntamos os pedaços e seguimos em frente, não é mesmo? Nós *somos* bastante resilientes e, na maioria das vezes, nos reerguemos mais fortes e melhores. Só que isso pode levar um pouco de tempo.

## Concorrência

Se você não prestar atenção à sua concorrência, de modo que possa estar pronto para combater os seus movimentos, em breve perceberá que está despencando na lista das principais corporações de seu setor. Quando uma empresa recém-criada quer se consolidar como um novo nome no mundo dos negócios já estabelecidos, ela pode anunciar a oferta de algum produto que a sua empresa simplesmente não conseguirá vencer ou sequer chegar perto.

Se você não estiver preparado, poderá se encontrar em uma situação muito embaraçosa ao ser pego de surpresa por um antigo cliente que espera que você saiba o que está por trás daquela incrível oferta nova. Se tentar evitar isso, ou se esperar que seu cliente não lhe proponha esse desafio e que esteja desinformado sobre o processo de vendas, admitir saber só depois de ser confrontado fará com que você pareça fraco ou que está tentando ocultar ou minimizar o problema.

A concorrência também pode ganhar novos contornos quando os clientes o comparam a outros representantes de seu setor, a fim de poupar o máximo de dinheiro e obter a oferta mais barata. Se você oferecer um produto bem-acabado e de melhor qualidade que não seja o mais econômico, precisa estar preparado para apresentá-lo e se discutir esse ponto logo ao início de suas apresentações. O senso de oportunidade é essencial, e se você estiver em uma posição ofensiva sobre determinado problema, o cliente o considerará uma pessoa bem preparada e experiente.

## Questões pessoais

Muitos de nós já deparamos com tempos em que questões pessoais têm um impacto negativo em nossos caminhos profissionais. Algumas se deveram à nossa própria incapacidade de lidar bem com tais assuntos. Outras, como uma doença grave nossa ou de um familiar próximo, acabam assumindo prioridade sobre o que fazemos para ganhar a vida. Sendo humanos, temos limitações. Só suportamos até determinado ponto, e haverá momentos em que os negócios simplesmente terão de ficar em segundo plano até que possamos nos sentir novamente fortes. Como em qualquer outro desafio, precisamos lidar com isso da melhor maneira possível, e continuar seguindo em frente.

## VENDER É SERVIR

Já listei uma série de desafios com os quais você pode se deparar algum dia, ou que você pode estar enfrentando neste exato momento. O objetivo deste livro não é se concentrar nesses desafios (disseminar o vírus negativo), mas mostrar as muitas maneiras pelas quais você pode se destacar na multidão, e não apenas sobreviver às dificuldades, mas também prosperar. Como um verdadeiro profissional de vendas, seu trabalho é oferecer um serviço de boa qualidade, específico e altamente personalizado para pessoas que têm a necessidade e as aptidões para adquirir seu produto ou serviço. Vender é servir.

Como indivíduo ou como organização, você pode enfrentar enormes pressões para colocar seu produto ou serviço, sua cota mensal, sua empresa ou, até mesmo, seus próprios objetivos pessoais, à frente das necessidades do cliente. Isso, amigo, é o caminho para a tragédia, não para a realização.

Os clientes estão se tornando mais sofisticados em seu conhecimento de produtos e serviços, e das novas tecnologias que emergem continuamente no mercado. Além disso, suas necessidades estão sempre se alterando com as mudanças demográficas, econômicas (locais, regionais, nacionais e globais), políticas e tecnológicas.

No futuro, os vencedores serão aqueles indivíduos e organizações que assumirem esses múltiplos desafios e os transformarem em oportunidades para a construção de relacionamentos sólidos e duradouros com clientes particulares.

Isso, amigo, envolve as vendas.

Nos capítulos seguintes, mostrarei como vender, não importando quais os desafios da vez. Com isso, não quero dizer "tripudiar" ou "negociar" ou "lidar" com seus clientes atuais e potenciais; quero dizer oferecer um excelente serviço ao consumidor, projetado para atender às necessidades individuais. Mostrarei os passos que aprendi na experiência concreta e cotidiana do mundo real... as etapas essenciais para *Vendas em tempos de crise*. Mas, primeiro, vamos falar sobre compromisso.

## O COMPROMISSO DO PROFISSIONAL DE VENDAS

A profissão de vendedor, assim como um casamento, é um compromisso. Como acontece com qualquer compromisso de longo prazo, concordamos em aceitar tanto o que é bom quanto o que é ruim. Claro que, quando selamos o compromisso, estamos, geralmente, no lado bom das coisas. Temos fortes expectativas de sucesso, satisfação e recompensa financeira. Estamos empolgados com um novo começo e com o que o futuro nos reserva.

Compromissos são estabelecidos para que as empresas encontrem representantes de seus produtos. Compromissos educativos são estabelecidos para que o vendedor conheça o seu setor e desenvolva habilidades eficazes de venda. Compromissos temporais são selados para se trabalhar nas horas em que os clientes estão disponíveis.

Nós firmamos, inclusive, compromissos conosco e com nossos entes queridos, para conseguirmos propiciar um melhor estilo de vida para todos os envolvidos. De modo geral, parte deles é jamais voltar ao que estávamos fazendo antes — um emprego que odiávamos por um motivo ou outro. Este é um ponto importante, porque, algumas vezes, as mudanças que fazemos *para fugir* de algo que não nos agrada podem ser mais poderosas do que aquelas que nos fizeram escolher algo novo.

Normalmente, nos dedicamos a um campo ou setor particular porque isso desperta algo em nós. Ficamos entusiasmados com o que o produto ou o serviço promove naqueles que o utilizam e com o potencial para novos desenvolvimentos e crescimento dentro da linha daquele produto, assim como as potenciais recompensas financeiras.

Procure se lembrar de quando você tomou a decisão de representar o produto com o qual, agora, você ajuda as pessoas a se envolver. É capaz de lembrar do seu entusiasmo? Você ficou empolgado com o produto, com os benefícios que ele proporcionava aos clientes, o tamanho do mercado e o seu potencial de crescimento naquele setor. Talvez tenha conhecido outras pessoas já estabelecidas naquele ramo que estavam levando a vida que você gostaria de ter. Considerando-se que o pensamento desperta o sentimento, você deve estar sentindo agora aquele mesmo impulso poderoso para atingir o sucesso em seu setor, impulso que sentiu quando se deixou envolver pela primeira vez. Isso não é o máximo?

Meus ensinamentos baseiam-se nos princípios de vendas. E recuperar os pensamentos e sentimentos que você tinha lá no início sobre seu atual ramo de negócios é fundamental para ser bem-sucedido nos aspectos levantados no restante deste livro. Vamos reacender sua vontade e sua determinação para ter sucesso. Atualmente, você pode estar diante de desafios diversificados, mas a menos que a sua indústria como um todo esteja se desintegrando, há esperanças de que você possa sair por cima, como um dos profissionais que sobrevive e prospera mesmo com as dificuldades do mundo de hoje.

Como em qualquer novo processo, há uma curva de aprendizado. A partir da reorientação e da revisão que faremos ao longo deste livro, haverá, também, uma curva de aprendizado, mas ela será muito menor do que seria se você fosse um novato em vendas, exatamente por causa do nível de experiência que já tem.

Um dos mais interessantes aspectos da profissão de vendedor é que ela é desafiadora. Muitas pessoas no mundo inteiro saem para trabalhar diariamente e enfrentar as mesmas situações, as mesmas pessoas, o mesmo tipo de trabalho e a mesma folha de pagamento. Em vendas, há inúmeras oportunidades de participar de situações novas, conhecer pessoas diferentes e produtos inéditos no mercado, além de receber grandes gratificações. Assim como qualquer oferta por fartas recompensas, esta profissão também exige bastante. Temos de estar sorridentes todos os dias, conhecer novos públicos e ser sensatos.

Como vendedor, você desfruta de vantagens e regalias que as pessoas da contabilidade ou da produção nunca conhecerão. Para começar, você provavelmente terá a oportunidade de ganhar mais dinheiro que elas. Pode dirigir um carro da empresa ou fazer com que ela lhe forneça um laptop e um celular, e pague despesas de viagem. A menos que trabalhe no varejo, talvez você nem precise usar o relógio de ponto. Seu horário pode ser mais flexível do que o de outros funcionários, porque talvez você precise estar disponível para os clientes fora do expediente.

Embora, eu, pessoalmente, pense que vender é a melhor profissão do mundo e tenha feito dela a carreira que abracei por toda a vida (mesmo hoje em dia, vendendo ideias para leitores), todas essas maravilhosas regalias devem ser dosadas com algum senso de realidade. A realidade do mundo de vendas é que os negócios funcionam em ciclos. Não é tão diferente das temporadas ou das vidas dos seres humanos, ou mesmo das plantas. Todos nós passamos por ciclos de crescimento, maturidade e repouso.

Como diz o título deste livro, momentos de crise existem. Pode haver tempos acanhados e, até mesmo, tempos extremamente miseráveis quando o seu setor como um todo for afetado. Talvez a crise esteja acontecendo exatamente agora, e, por este motivo, você esteja lendo este livro. O que de mais encorajador se pode dizer sobre isso é que a situação vai melhorar. Por outro lado, se você estiver no topo de um ciclo ascendente, pensando em como se preparar para uma tendência nem tão favorável que se aproxima, continue lendo.

O principal desafio que quase todas as pessoas enfrentam quando não conseguem entender os ciclos é que elas nunca estarão suficientemente preparadas hoje para o que provavelmente acontecerá amanhã. Em tempos de prosperidade, há tantos negócios em andamento que elas se tornam viciadas em trabalho, ou assumem dívidas pessoais sem precedentes, acreditando que aquela grande remuneração continuará a acontecer nos próximos cinco, dez ou trinta anos.

Quando os negócios estão em alta e as vendas estão tranquilas, também é muito fácil se tornar preguiçoso — desconsiderar os saudáveis princípios de vendas. É fácil deixar de cumprir certos preceitos básicos que sustentam uma carreira sólida, de longo prazo. Então, quando o ciclo começa a entrar na fase descendente, tanto a sua carreira quanto a sua vida pessoal podem ser impactados. Aquela dívida criada nos tempos de bonança o está estrangulando agora, fazendo com que sue mais pensando em maneiras de pagar as contas do que propriamente trabalhando.

É importante que você defina metas realistas para si mesmo quando se dedica às vendas como uma profissão integral, de longo prazo. É triste, mas é verdade: muitos vendedores se aferram à venda do mesmo produto ano após ano, porque é o que eles conhecem. É confortável para eles. Não considerariam fazer qualquer tipo de mudança, a menos que o seu setor simplesmente desaparecesse... como aconteceu com o mercado de chicotes para cavalos quando a indústria automobilística explodiu.

Em vez de esperar que a mudança lhe seja imposta, seja devido à economia global, ao seu setor ou à sua área geográfica, é preciso estabelecer mais um desses compromissos dos quais falamos anteriormente. Você precisa se comprometer a melhorar suas habilidades, conhecimentos e contatos com o passar dos anos. Muitos vendedores que permanecem na mediocridade simplesmente repetem a experiência de vendas de seu primeiro ano de trabalho todos os anos, até se aposentarem. Fazer isso significa que seus rendimentos raramente aumentarão mais rapidamente do que a inflação. É isso o que você quer? Duvido.

Quando os tempos ficarem difíceis, faça um favor a você mesmo e não reaja... *responda*. Qual é a diferença? A reação é a atitude tomada a favor ou contra algo que nos impacta. Pode ser instantânea, praticamente impensada ou por reflexo. Para responder a algo, você tem de seguir dois passos muito específicos: (1) Parar e (2) Pensar.

Espero que você use este livro como uma ferramenta para ajudá-lo a fazer exatamente isso. Quando sentir que as coisas estão saindo de controle, volte atrás e avalie seriamente o que está acontecendo. Você não conseguirá consertar o que deu errado até descobrir onde está o problema.

Depois de conseguir lidar minimamente com o que está acontecendo, é preciso fazer algumas escolhas. Você permanece em seu setor e enfrenta o desafio atual? Muda de emprego e migra para uma empresa concorrente que está se saindo melhor? Você abandona totalmente o ramo de vendas e só regressará a ele quando as coisas melhorarem? Dá início ao seu próprio negócio sem toda a sobrecarga do seu empregador atual? Volta para a universidade e segue outra carreira? Essas podem ser questões bem difíceis — bem mais difíceis, se você tiver aproveitado a boa maré de produtividade sem se preparar para a parte potencialmente "pior" de seu compromisso com a profissão de vendedor.

## ROUBANDO A SI MESMO PARA SOBREVIVER

Para sobreviver a qualquer desafio que impacte negativamente a sua carreira de vendedor, você precisa seguir o lema dos escoteiros — esteja preparado. Então, como você se prepara para algum imprevisto?

Você começa se comprometendo com o seu crescimento pessoal. O crescimento pessoal é um processo que aumenta o seu conhecimento e a sua eficácia, de modo que você possa servir mais, ganhar mais e contribuir mais para a melhoria de si mesmo, de sua família e de toda a humanidade. Tenha em mente que, se você não estiver indo adiante, está ficando para trás.

Procure estar cercado de vencedores. Encontre outros indivíduos que pensam como você e alimentem-se mutuamente com estratégias de vendas nos tempos atuais, notícias positivas, ideias criativas e indicações de negócios. Tenha cuidado para não envolver ninguém neste processo que não contribua. E não seja aquele que só quer ganhar, sem dar a sua própria contribuição positiva para os outros.

Para manter seu progresso, recomendo que você reserve 5% do seu tempo para seu desenvolvimento pessoal. Se você trabalha quarenta horas por semana, isso significa duas horas a cada semana. Não precisa ser um bloco de duas horas, embora muitos dos meus alunos achem isso extremamente útil. Você poderia comprometer-se com meia hora a cada dia. (Vá em frente e faça as contas. São pouco mais de duas horas por semana, mas você quer alcançar a excelência a longo prazo, não quer?)

No que você trabalha? Isso depende de você. Classifique sua habilidade nas seguintes áreas, consideradas fundamentais para o sucesso:

- Gerenciamento do tempo
- Conhecimentos de informática
- Boa comunicação escrita
- Foco
- Autodisciplina
- Técnicas de comunicação verbal
- Vestuário e aparência
- Etiqueta corporativa
- Linguagem corporal — leitura e transmissão
- Compreensão escrita
- Matemática
- Conhecimento do produto
- Conhecimento de burocracia/documentação
- Network
- Prospecção
- Atenção às finanças pessoais.

Se você ficar preocupado com seu nível de conhecimento atual em qualquer uma dessas áreas, não se preocupe. O propósito de investir 5% do seu tempo para se desenvolver é dissolver esses medos por meio da informação.

Essa experiência educativa não precisa ser dispendiosa ou tradicional (no caso de você ser como eu e ter odiado a escola). Muitos recursos podem ser encontrados em sua biblioteca local. Esqueça os anúncios de cartões de crédito — um cartão de uma biblioteca é o mais poderoso cartão que você pode carregar em sua carteira ou bolsa.

Pode existir algum investimento melhor do que aquele feito por si próprio em favor de seu desenvolvimento? Pense nisso. Acredito que você concordará que qualquer outra coisa em que investir poderá perder o valor de mercado, lhe ser roubado ou consumido pelos impostos. Por outro lado, o tempo investido em seu desenvolvimento ficará por toda a vida, contribuindo ao longo de sua carreira para a autoconfiança e a habilidade em superar o que quer que a vida lhe reserve de ruim.

Além do imenso volume de materiais educativos disponível em sua biblioteca local, recomendo que crie um fundo educativo para si mesmo. Reserve 5% dos seus rendimentos líquidos em uma conta-poupança para formação. Então, quando aparecer uma oportunidade educativa melhor do que a que você consegue encontrar gratuitamente, você nunca terá de dizer "não tenho como pagar". Você pode optar por fazer cursos em universidades públicas e particulares. Algumas escolas técnicas oferecem excelentes programas por um pequeno investimento, que podem contribuir imensamente para a sua carreira. Assim como acontece com os concertos, muitos professores levam excelentes seminários à área na qual você estuda a respeito de temas específicos para o seu setor ou campo de atuação. Preste atenção neles. Marque-os em seu calendário. Compareça e aprenda!

O psicoterapeuta Alan Loy McGinnis aborda isso de uma maneira muito especial. Ele afirma: "Todos nós temos fraquezas. O segredo é determinar quais podem ser melhoradas; em seguida, começar a trabalhar sobre elas e esquecer o resto."

Analisando seus pontos fortes e fracos nas categorias listadas anteriormente, talvez haja alguns que você considere mais fáceis do que outros. Aqueles que considera difíceis ou desconfortáveis provavelmente farão a maior diferença em sua carreira quando forem desenvolvidos. Inicialmente, você pode hesitar antes de começar a trabalhar nestas áreas. Isso é bastante normal. Hesitamos em fazer aquilo que mais tememos. E o medo nada mais é do que a falta de conhecimento.

Meu mentor pessoal, quando eu ainda era um jovem vendedor, foi o grande instrutor de vendas J. Douglas Edwards. Da mesma forma que 95% das pessoas no mundo, eu tinha um medo enorme de falar em público. Quando o Sr. Edwards soube que eu havia sido convidado a fazer uma apresentação em uma conferência de vendas sobre como havia alcançado altos níveis de desempenho na minha área, ele me disse: "Tom, se você fizer o que mais teme, vencerá o medo." Por mais difícil que tenha sido aceitar, eu sabia que ele estava certo. Aceitei aquele convite, e, então, me empenhei em aprender como preparar e fazer um bom discurso. Admito que não fui muito bem na minha primeira vez, mas cumpri minha tarefa. E cumpri-la me deu confiança para fazê-la novamente... assim como o desejo de melhorar.

Explore cada caminho que o conduza a um lugar melhor do que aquele em que você está hoje. Não se amedronte diante do que mais teme. Não tenha medo de admitir suas fraquezas. Exalte mentalmente as suas forças e você ganhará confiança para superar tais fraquezas.

## SUA ÉTICA EM TEMPOS DIFÍCEIS

Enfrentar um desafio capaz de gerar um impacto verdadeiramente negativo em seus rendimentos pode suscitar muito medo. O medo é muito comum em tempos de crise. Isso pode incluir nossos rendimentos ou, até mesmo, nossos próprios empregos. Podemos temer o fracasso — ou a impressão de ter fracassado. Essas são duas das maiores causas de ansiedade nas pessoas que enfrentam grandes desafios nos negócios.

Quando estamos com medo, nem sempre pensamos racionalmente. O pensamento irracional e a ansiedade podem nos levar a fazer coisas das quais nos arrependeremos depois. Podemos começar a contar pequenas mentiras para nossos clientes, colegas de trabalho ou familiares. Podemos agir de forma diferente do habitual, omitindo, por exemplo, informações importantes que podem abortar uma venda. Ou vender algo a alguém que, de fato, não precisa daquilo. Em outras palavras, fazer o que for preciso para fechar a venda, mesmo que isso não seja bom para o cliente. Infelizmente, tais ações podem significar desafios ainda maiores do que os originalmente enfrentados.

Por favor, não faça isso. Não acelere a espiral descendente na qual você talvez se encontre, escolhendo o caminho mais fácil. Mesmo que isso possa significar um alívio temporário para parte do estresse e do sofrimento que está sentindo, nunca propiciará satisfação a longo prazo. Na verdade, isso poderá corroê-lo pelo resto de sua vida. Ou pode prenunciar um marco ruim para o futuro.

Ao sermos forçados a fazer escolhas sob estresse, precisamos de uma forte mentalidade para nos amparar. Se tiver desenvolvido o hábito de contar pequenas mentiras ou de racionalizar, adotando atalhos mentais em suas demonstrações, você enfraquecerá os músculos da "tomada inteligente de decisão" e tenderá a fazer escolhas erradas. Racionalizar escolhas fracas é mentir para si mesmo — e se esse for o seu alicerce, você mentirá para qualquer um.

Meus ensinamentos sobre ética são muito simples:

**1.** Siga a Regra de Ouro de tratar os outros como você gostaria de ser tratado. Gostaria de ser avisado com antecedência sobre possíveis mudanças na vizinhança que possam impactar negativamente o valor da minha casa? Sim. Gostaria de ser informado de que deveria investir em um produto que não uso regularmente no momento, pois seus estoques estão se acabando? Talvez, se eu realmente precisar ou desejar o produto. Será que eu gostaria de ser avisado de que este é o investimento mais econômico para aquele produto se isso não for verdade? Definitivamente, não.

**2.** Defina sua própria bússola moral e avalie tudo o que você diz e faz nos negócios e na vida segundo essa bússola. Para alguns dos meus alunos, tudo passa pela avaliação exterior. Quando confrontados com um dilema, eles se perguntam: "Será que minha mãe e meu pai se orgulhariam ao saber que eu fiz isso?", ou "Como eu me sentiria se meus filhos soubessem que foi assim que me comportei ou lidei com tal situação?". Para outros, é uma coisa mais ampla: "O que aconteceria comigo, com minha carreira e meus entes queridos, se minha decisão fosse divulgada no noticiário local ou nacional?"

Muitas pessoas não abandonam suas bússolas. "Como vou me sentir depois de fazer isso ou aquilo?", "Será que, mais tarde, me arrependerei desta decisão ou ação?", "O que me leva a desejar fazer isso?". Se a razão subjacente for qualquer outra que não seja ajudar as pessoas a tomar decisões verdadeiramente boas para elas ou oferecer um serviço de extrema necessidade para o seu próximo (ou para sua empresa), talvez seja preciso considerar um plano alternativo.

Não se deixe influenciar pela emoção nem se sinta culpado. Se alguma coisa que você está pensando em fazer ou dizer o fará se sentir culpado depois, simplesmente esqueça. A culpa é um desperdício de emoção. Você, e somente você, controla como ela afetará, ou se vai afetar, a sua vida.

**3.** Seja honesto. Se você mantiver a honestidade, nunca mentirá para clientes e nunca terá de se preocupar em esconder os seus passos. Até mesmo Mark Twain falou sobre isso. Ele disse: "Quem diz a verdade não precisa de boa memória."

Os psicólogos e psiquiatras dirão que grande parte da angústia mental enfrentada por seus pacientes é aliviada quando eles aprendem a ser honestos consigo mesmos sobre os seus erros e a se perdoar. Carregar o fardo da desonestidade é um peso incrível sobre as costas. Afeta tanto a mente quanto o corpo.

Parte de nossa humanidade consiste em sermos falíveis. Todos nós cometemos erros. Apenas cultive o hábito de assumi-los, honestamente, pedindo perdão a todos aqueles a quem você magoou no caminho, e, em seguida, perdoe-se a si mesmo. Seu caminhar ficará mais leve, e você descobrirá que mais coisas boas estão acontecendo em sua vida.

Nunca, em hipótese alguma, coloque sua necessidade ou desejo de enriquecer à frente do seu compromisso de atender às necessidades dos outros. Esse é o fundamento para uma profissão duradoura de vendedor, verdadeiramente bem-sucedida e extremamente recompensadora.

## RESUMO

- Você entende que as vendas são um negócio cíclico e que é preciso desfrutar dos ciclos ascendentes, enquanto se prepara para os descendentes.
- Quase tudo aquilo que provoca alterações nos ciclos é algo impossível de controlar. Você deve responder à mudança, em vez de reagir a ela.
- Vender é uma profissão de prestação de serviço aos outros.
- O verdadeiro profissional compromete-se com o sucesso na profissão de vendedor.
- Para ter sucesso, você precisa ater-se à sua bússola ética.

# 2. Que tipo de vendedor você é?

Considerando-se que você está lendo este livro, presumo que não seja o tipo de vendedor que bajula os clientes potenciais ou os força a tomar uma decisão de compra da qual eles possam se arrepender posteriormente. Mas nosso objetivo neste capítulo não é falar sobre o que não se deve fazer. Ao contrário, nosso objetivo é mostrar as características dos maiores vendedores da atualidade. Aprendendo a reconhecer as peculiaridades desses profissionais, você poderá avaliar se tem ou não as mesmas forças, e, caso não as tenha, terá a chance de pensar no que fazer para desenvolvê-las.

Você terá de trabalhar com mais afinco consigo mesmo do que em outro emprego se quiser atingir o verdadeiro sucesso. Transforme as vendas em um hobby para além de sua profissão. Ao longo do dia, desenvolva o hábito de observar todos os tipos de interações entre as pessoas. Todas elas estão vendendo alguma coisa! Como fazem? Como é o seu comportamento? Que palavras elas usam? Como o cliente potencial está reagindo ao estilo de abordagem? Estão fazendo perguntas, oferecendo informações ou dando ordens? Estão sendo bem-sucedidas? Em que sentido elas podem ter dito ou feito algo de forma diferente, para ter sucesso?

Mantenha sua antena mental em sintonia com a forma pela qual cada encontro lhe proporciona ideias para vender melhor, e você se aperfeiçoará a cada dia. Talvez algo que você diga praticamente sem pensar faça com que seu filho escolha um café da manhã saudável. Talvez você ouça seu cônjuge dizendo algo para outro familiar que desencadeie uma resposta positiva. Como eles chegaram a esta resposta?

Se você ouve o rádio no caminho para o trabalho (em vez de ouvir CDs de treinamento), preste muita atenção à forma como cada anúncio faz você se sentir. Que palavras estão sendo usadas? Que emoções estão sendo evocadas? Se você decidir tomar nota do endereço de um site ou de um número de telefone de um desses anúncios, pense no porquê. Foi por que realmente precisa daquele serviço? Ou havia algo no anúncio que lhe despertou um apelo emocional, lógico ou racional?

Muitos dos meus alunos mais bem-sucedidos sempre levam consigo um caderno para anotar pequenas dicas de estratégias de vendas com as quais se deparam no decorrer do dia. Então, uma vez por semana, eles as leem e pensam sobre como incorporar essas ideias em suas situações de venda. Experimente! Você terá uma grata surpresa com o resultado.

## SEU ESTILO COMO VENDEDOR

Agora que está preparado para enxergar ideias vendáveis em todos os lugares, vamos analisar como você está vendendo neste momento. Quase todas as pessoas no mundo das vendas se enquadram em duas categorias muito gerais quando se trata de estilo de vendas:

1. O extrovertido interessante
2. O introvertido interessado

Extrovertidos interessantes são aqueles que vêm à mente quando a maioria dos consumidores pensa em vendedores. Os extrovertidos são pessoas que dirigem sua atenção para os outros. Eles se sentem confortáveis em animar os ambientes e estão sempre dispostos a começar uma conversa com desconhecidos. No limite, essas são as pessoas a quem geralmente nos referimos como sendo as maiorais.

No extremo mais moderado do espectro, os extrovertidos interessantes são acolhedores e hospitaleiros — sempre ávidos por ampliar o seu círculo de conhecidos.

Alguém que não entenda as nuances mais significativas das vendas diria ao extrovertido interessante que ele tem uma aptidão natural para as vendas, em decorrência de sua "lábia" ou habilidade para falar, falar e falar. Se você ainda não souber disso, a profissão de vendedor não se resume apenas à fala. Quando você está falando, está apenas repassando informações que já conhece. Embora seja importante ter e compartilhar o conhecimento sobre o produto, escutar é ainda mais fundamental para a venda.

Mas você está ouvindo o quê? As vozes de seus clientes potenciais, enquanto respondem às suas perguntas de qualificação. As respostas o ajudam a determinar o que lhes dizer sobre o seu produto — que características vão servir às suas necessidades e oferecer a solução que eles procuram. Vamos analisar com mais profundidade as perguntas de qualificação no capítulo 7. Por enquanto, vamos falar sobre o lado negativo de ser exageradamente extrovertido nas vendas.

Extrovertidos exagerados gostam de controlar as conversas e ouvir a si mesmos enquanto falam. Apesar de estar no controle da situação de venda ser importante, se você for extrovertido, precisa estar consciente do quanto está falando e do quanto está ouvindo. Os extrovertidos também tendem a ser tão focados no que vão dizer em seguida que não se concentram muito no que os clientes potenciais estão dizendo no momento. Se tiver esse hábito, perderá uma série de nuances e, talvez, algumas informações fundamentais que o cliente se sente compelido a compartilhar com você. Se tiver a sensação de que você não está ouvindo, ele vai parar de falar... e, provavelmente, interromper completamente o processo de vendas.

Os extrovertidos que querem ser bem-sucedidos em vendas precisam se inclinar mais para o lado conservador das coisas e trabalhar em prol de um estilo de venda caloroso e acolhedor. Convide os clientes para visitar o seu mostruário ou escritório. Faça-os se sentir confortáveis e estimule-os a falar sobre suas necessidades.

Mais um aspecto referente aos extrovertidos: eles gostam de ser a estrela em suas apresentações e demonstrações. Isso lhes fará perder tantas vezes que sua cabeça começará a girar, de tanto imaginar o que pode ter acontecido. A estrela de cada demonstração deve ser sempre o produto. O produto é como um filhote de cachorro prestes a ser adotado. Você não segura o cachorro e fala sobre como ele é bom. Você deixa o interessado segurá-lo, cheirá-lo e se envolver com ele. Enquanto ele faz isso, saia do centro das atenções e apenas assista e oriente-o a tomar sua decisão.

Agora, vamos falar sobre a outra extremidade do espectro — os introvertidos interessados que se dedicam às vendas. Você pode pensar que os introvertidos não se tornariam bons vendedores, mas isso é um estereótipo ultrapassado. Na realidade, em vendas, os introvertidos têm melhor desempenho do que os extrovertidos. Sim, talvez tenham a tendência de se voltar para um foco interior, mas, por causa disso, entendem melhor o funcionamento interno das mentes dos clientes potenciais. Eles tendem a ser mais empáticos do que os extrovertidos, e a empatia desempenha um papel fundamental em todas as situações de venda.

Os introvertidos podem parecer um tanto humildes ou tímidos. Em casos extremos, essa característica os afastaria de escolher a profissão de vendedor. Entretanto, os maiores profissionais de vendas entendem o poder de ter uma atitude prestativa — de ser um humilde servo das necessidades de seus clientes.

Meu querido amigo e grande instrutor, Zig Ziglar, sempre disse: "Você pode ter qualquer coisa que desejar na vida, se apenas ajudar minimamente as outras pessoas a ter o que elas desejam." Essa é a atitude à qual estou me referindo — ajudar as outras pessoas a ter o que desejam e precisam.

Outra característica dos introvertidos bem-sucedidos em vendas é que eles preferem escutar a falar. Eles não se importam de não controlar o rumo da conversa. Deixam o cliente falar, falar e falar — o tempo todo, acumulando informações que precisam saber para orientar os consumidores a escolher o produto ou serviço correto. Eles servem como um filtro, fazendo uma triagem de todas as informações díspares, a fim de selecionar apenas aqueles trechos e componentes de que precisam para determinar que produto ou serviço atenderá melhor às necessidades do cliente.

Considere onde você se colocaria em uma escala crescente, com os extrovertidos interessantes na extrema esquerda e os introvertidos interessados na extrema direita. Qual destas características você possui? Qual delas deve desenvolver com mais intensidade? Como pretende praticar esse novo conjunto de habilidades?

Se você estiver mais próximo de um tipo extrovertido, faça um esforço consciente para ouvir atentamente o outro durante a conversa. Resista ao impulso de interpor comentários em sua história. Se uma pessoa lhe contar sobre como foi o dia dela, ouça e comente apenas sobre esse assunto. Não mude a conversa para como foi o seu dia ou como você teria lidado com as situações que ela enfrentou. Fazer isso pode ser um grande desafio para o extrovertido extremo, mas quanto mais perto você conseguir se mover em direção ao centro da escala, mais as suas vendas aumentarão.

Para os introvertidos, será de grande proveito trabalhar estabelecendo bom contato visual com os clientes, sorrindo mais e usando sua linguagem corporal para demonstrar que está prestando atenção. Acene com a cabeça. Faça uma anotação. Incline-se para a frente à medida que ouve atentamente. Esses sinais da linguagem corporal manterão seus clientes potenciais falando, porque você os estará atraindo. Por causa do seu nível de interesse, eles vão querer lhe contar mais coisas.

## CARACTERÍSTICAS DOS MELHORES VENDEDORES

*Preocupe-se mais com o seu caráter do que com a sua reputação, porque o seu caráter é o que você realmente é, enquanto a sua reputação é meramente o que os outros pensam que você é.*

JOHN WOODEN, ex-treinador de basquete da UCLA

Agora que abordamos o seu estilo de venda básico, vamos detalhar os traços e as características dos melhores profissionais da área.

**1.** Vendedores estão em uma missão. As pessoas mais importantes de todos os campos estão trabalhando em nome de algo além das recompensas financeiras. Elas têm algo a provar a alguém — mesmo que este alguém seja elas mesmas. Talvez tenham se inspirado em uma história de sucesso de outra pessoa. Ou encontraram um mentor que enxerga nelas algo maior do que elas próprias conseguem ver. Algumas estão motivadas a perseguir o sucesso simplesmente porque, certa vez, lhes disseram que elas eram medíocres e isso lhes despertou uma fagulha para serem diferentes, para serem melhores, para fazer algo inesperado que as faria se destacar como únicas. Outras ainda estão trabalhando por uma causa mais nobre e descobriram que a profissão de vendedor pode ser um meio para se chegar a determinado patamar.

Esses grandes profissionais de vendas entendem e apreciam o valor da frase que ensino no fim dos meus seminários de treinamento de vendas. "A partir de agora, prometo *aprender mais* para que eu seja capaz de *servir mais*. Assim, *ganharei mais* para que possa construir meu patrimônio financeiro *economizando mais*. Então, me tornarei um campeão e serei capaz de *oferecer mais*."

Não importa que a parte de "oferecer mais" envolva familiares mais próximos ou entes queridos, ou a dedicação ao bem comum da humanidade ou à salvação do planeta. Ter um propósito é o que o faz seguir em frente quando as coisas ficam difíceis, como tende a se tornar mais desafiadora, porém, ainda assim, extremamente recompensadora profissão de vendedor.

O que o motiva? O que o faz levantar da cama todas as manhãs e fazer o que você faz? Se a resposta for "sustentar a minha família", tudo bem. No entanto, sendo seres internamente motivados, o que você ganha sustentando a sua família? Há um senso de honra e de conquista? Você realmente gosta do que faz? Ou isso apenas paga as suas contas? Acredita que servir aos outros é algo recompensador para além dos aspectos financeiros? Você ama o que vende?

Se não tiver muitas respostas positivas para essas perguntas, talvez seja aconselhável pensar em mudar o produto ou serviço que está representando. Você já tem habilidades de venda suficientes e um dos melhores benefícios de aprender a vender é que essas competências podem ser transferidas.

É incrível o que acontece quando você representa um produto que realmente ama e no qual acredita. As pessoas compram com você mais por sua crença e convicção pelo produto do que pelas informações rotineiras que lhe são apresentadas. Se você não acreditar que o seu produto é tão maravilhoso que você mesmo o possua (ou possuiria, caso fosse acessível) e gostaria que sua mãe, pai e avó também o possuíssem, isso ficará evidente durante as demonstrações a clientes potenciais. Algo sobre sua abordagem transparecerá para eles. Talvez não seja nada do que você fala, e nem mesmo a sua inflexão de voz, mas algo mais sutil. Os consumidores perspicazes entrarão em sua sintonia e podem se decidir pela compra. Talvez eles não estejam necessariamente comprando um produto diferente, mas sim porque ele foi oferecido por um vendedor diferente — um que realmente acredita no produto e os faz se empolgar também.

**2.** Vendedores são detalhistas. Eles são ágeis ao prestar atenção a detalhes e funcionam como um negócio. Ser desorganizado é um grande obstáculo às vendas. Separe um momento, agora, para observar sua mesa, sua pasta, como os arquivos estão distribuídos no seu computador. Eles estão bem organizados? Você pode obter informações pertinentes do produto com um clique do mouse? Você pode localizar facilmente a informação completa de contato de todo e qualquer cliente? Você organiza periodicamente seus arquivos? Sua documentação está em dia? Acompanha suas estatísticas de vendas ou tem alguém que faça isso por você? Gosta de acumular coisas? Você tem pilhas de revistas especializadas ou de folhetos de novos produtos espalhados à sua volta, que nem sequer teve tempo de analisar? Usa um calendário para planejar atividades relacionadas a encontros com clientes e encontros de vendas?

Se você não for bem organizado, comece hoje a administrar os detalhes como eles devem ser administrados.

Não se deixe paralisar adiando as coisas porque a ideia de verificar todos os seus arquivos é uma tarefa assustadora. Simplesmente, comece a fazer isso da forma correta a partir de hoje. Então, reserve em seu calendário semanal um intervalo de vinte a trinta minutos para "organização". Durante esse intervalo, atualize as informações de contato de seus clientes, preencha as documentações e leia, pelo menos, um artigo de revista ou alguma informação sobre o seu setor ou produto.

*Observação:* Não faça qualquer trabalho de registro ou qualquer atividade de organização durante o tempo principal destinado às vendas. Programe isso para uma hora do dia em que seus clientes não estejam acessíveis.

Mesmo que trabalhe para uma empresa, você precisa funcionar como se fosse um negócio próprio. Continue pensando: "Eu gostaria de fazer negócio comigo?" A qualquer momento em que a resposta não for um retumbante sim, pense em como melhorar e reserve um tempo para trabalhar nisso.

É raro que um negócio já estabelecido consiga fazer mudanças significativas da noite para o dia. O mesmo acontece com você. Mas ao trabalhar de forma aplicada para se aprimorar em um ritmo programado, logo achará mais fácil e mais eficaz conduzir os negócios, e acabará tirando o melhor proveito disso!

**3.** Vendedores são extremamente empáticos e focados nas necessidades potenciais dos clientes. Descobri que pouquíssimos realmente entendem o poder da empatia. Por definição, a empatia é a capacidade de compreender os sentimentos alheios. É a proverbial capacidade de se colocar no lugar do outro — sem ser necessariamente afetado pelos problemas dele. Ela difere da simpatia, no sentido de que, quando você é simpático à situação de outra pessoa, você está física e emocionalmente afetado, de forma equivalente. No caso da empatia, você permanece quem é, em seu estado emocional natural. Você tem a capacidade de entender os medos, as necessidades e as preocupações do outro, sem vivenciá-los a si mesmo.

Ao seguir as etapas para promover a venda de modo empático, você consegue ajudar seus clientes potenciais a imaginar como eles podem sair de onde estão para chegar aonde querem, em função de seu produto ou serviço. Você não age como uma força externa tentando influenciá-los. Pelo contrário, você está encarando os desafios através dos olhos deles e, através desses mesmos olhos, ajuda-os a avaliar a solução oferecida. Você os está ajudando a responder a pergunta egoísta que ocorre naturalmente a todos: "O que ganho com isso?"

Quando eu oferecia treinamento, principalmente na indústria de imóveis, costumava aconselhar os corretores a exercer um certo distanciamento e vender as propriedades através dos olhos do comprador. Um exemplo que eu usava para mostrar uma propriedade era nunca entrar em um ambiente antes de um comprador potencial. O raciocínio era o de que o comprador estava interessado na casa, e não os corretores. O comprador devia observar a casa como se vivesse lá, e, a menos que os corretores estivessem planejando morar com o cliente, eles não deveriam ser a primeira coisa a serem vistas em cada ambiente. As pessoas devem conhecer as funcionalidades e os benefícios de uma casa por seus próprios olhos — e não pelos olhos de um corretor de imóveis, dizendo coisas como: "Esta é a sala de jantar" e "A suíte máster é fantástica". Talvez as pessoas que estejam visitando a casa "vejam" a sala de jantar como um escritório. Talvez não concordem que a suíte máster seja fantástica. Talvez tenham visto algo mais agradável.

Se trabalhar para desenvolver a sua empatia e a capacidade de ver o cenário pelos olhos do comprador, você fará um trabalho melhor (e mais rápido), orientando-o a adotar a melhor solução para suas necessidades, enquanto eles dizem para si mesmos: "Esse vendedor me entendeu! Sabe exatamente do que eu preciso."

Para desenvolver seu senso de empatia, comece com seus amigos ou entes queridos. Pense em situações em que você conseguiu ver as coisas a partir da perspectiva deles. Se nada vier à mente, tente se colocar em seus lugares em apenas uma das situações que estejam enfrentando atualmente e da qual você tenha conhecimento. Não seja preconceituoso. Basta pensar em como eles devem estar se sentindo, e, conscientemente, assumir o papel de uma terceira pessoa, de modo imparcial. Se você fosse outra pessoa, considerando sua situação de fora, compreendendo como ela se sente em relação a isso, que conselho poderia lhe dar? Tenha cuidado para não dar conselhos, a menos que seja solicitado. Mas saiba que, em situações de vendas, os clientes potenciais estão lhe procurando por causa de sua reputação ou porque ficaram sabendo que você é um especialista. Nesse sentido, os clientes potenciais vão solicitar seu conhecimento.

As vendas não estão relacionadas com o que você quer vender. Estão relacionadas ao que os clientes precisam. Portanto, você deve ficar atento ao que eles dizem e fazem, e como explicam a situação que os convenceu a procurá-lo. Entenda sua frustração por não ter, ser ou fazer aquilo que o seu produto ou serviço lhes propiciará.

Não desvie o assunto com uma demonstração mecânica ou apresentando a sua oferta. Ouça qual é a maior frustração de seu cliente. Mostre-lhe como o produto lida com esta necessidade. Em seguida, aborde as outras características e benefícios na ordem que o cliente deseja ouvir. Isso não apenas melhorará sua demonstração, como a manterá mais interessante, caso você mude de ordem de vez em quando.

**4.** Vendedores são orientados por objetivos. Eles sabem quem querem ser e o que desejam ter e fazer nos próximos trinta, sessenta e noventa dias. Eles já estabeleceram seus objetivos de vendas anuais, assim como as metas do lugar onde a família poderá desfrutar suas próximas férias. Eles sabem o que querem como se estivessem falando de seu próximo carro. Sabem quantos clientes querem atender este ano e em que data pretendem se aposentar.

Como você alcança seus objetivos? Você os divide em partes e peças administráveis. Então você os coloca em sua lista de "coisas a fazer" e reserva um tempo em seu calendário para que eles sejam realizados. Ao entender o quão produtivo é esse planejamento, acabará alcançando todas as metas que definiu para si mesmo.

Eis aqui uma pequena lista de atividades que você deveria fazer frequentemente, se quiser crescer e ter sucesso na área de vendas:

- Identificar novos clientes
- Telefonar primeiro para novos clientes potenciais, antes de ser contactado por eles
- Organizar/confirmar reuniões
- Preparar demonstrações
- Dar palestras

- Fechar vendas
- Enviar cartões de agradecimento
- Dar telefonemas de acompanhamento
- Contabilizar os serviços
- Preparar documentação/relatórios em casa
- Solicitar indicações
- Receber indicações
- Enviar informações (e-mail, correio ou fax)

Essas atividades não são uma distração. Justamente o contrário. São ações que geram negócios. Se você é do tipo que gosta de visualizar o seu nível de atividade, visite meu site: www.tomhopkins.com. Em nossa página de Recursos Livres [Resources], oferecemos a impressão de um Gráfico de Atividades Diárias [Daily Activity Graph], de tecnologia extremamente simples. Use-o e em breve você verá que a sua distração equivalerá a muitos novos negócios.

**5.** Vendedores fazem um planejamento de acompanhamento e mantêm a fluência da comunicação. Cada um de seus clientes deve receber mensagens suas pelo menos seis vezes por ano. Você está fazendo isso agora? Quando foi a última vez que entrou em contato com cada um de seus clientes? Se esse intervalo superar sessenta dias, você está ficando para trás. Reserve uma manhã ou um fim de tarde na próxima semana para ligar para os clientes atuais. Não há necessidade de vender nada ou temer incomodá-los. Basta telefonar e dizer: "John, é o Bob Martin, da Acme Products. Pensei em você hoje de manhã e queria apenas saber se está feliz com o nível de serviço que estamos fornecendo. Se tiver qualquer pergunta ou preocupação a respeito (do seu produto/serviço), por favor, me informe." Viu como é fácil? Você poderia falar diretamente, se o cliente atendesse o telefone. Se ele não responder, deixe a mesma mensagem no correio de voz, mas termine com: "Você pode me encontrar no [seu número de telefone] nos dias úteis, entre nove e meio-dia, caso precise conversar."

Quando houver uma longa lista de clientes a contatar, tente ligar no início da noite ou em outro momento, quando souber que não há mais ninguém no escritório. Se você trabalhar com consumidores, ligue quando estiver ciente de que eles não estão em casa. Seu objetivo é ser atendido pelo correio de voz ou pela secretária eletrônica. Você pode deixar a mensagem inteira sem investir tempo conversando com cada pessoa naquele momento. Você pode atingir uma série de pessoas em um período de tempo relativamente curto e, no mínimo, demonstrar sua atenção. Depois, quando você conseguir reservar mais tempo em sua agenda, transforme em hábito a tentativa de marcar uma visita mais demorada, seja por telefone ou pessoalmente, com cada cliente.

Misture os tipos de contato que você realiza. Nem todas as comunicações precisam ser feitas por telefone. Você pode enviar um e-mail, colocar algumas informações em um envelope e enviá-lo pelo correio, ou, até mesmo, mandar uma mensagem amigável via fax para seus clientes. Considere utilizar um serviço de divulgação de boletins virtuais sobre sua empresa e os envie periodicamente para cada cliente. Deixe-os saber que você se importa com eles e que pretende manter contato, continuando a orientá-los sobre seu produto ou setor com informações que eles podem considerar benéficas.

*Observação*: Ao enviar e-mails, tenha em mente que eles podem ser reencaminhados. Você sabe, por experiência própria, como é fácil dar um clique e enviar mensagens aos outros. Não envie materiais que você não gostaria que outros vissem!

Uma das coisas mais fáceis de fazer, e que me ajudou a erguer meu negócio do nada e ter 98% de indicações em três anos, foi ter enviado regularmente bilhetes escritos à mão aos meus clientes. Efetivamente, uma das minhas metas de atividade diária era enviar dez cartões de agradecimento a cada um, todos os dias. Agradeci pessoas que acabara de conhecer, apenas pelo tempo que compartilhamos. Agradeci clientes antigos por terem continuado comigo. Agradeci os excelentes serviços das pessoas com quem eu fazia negócios. Agradeci os votos de feliz aniversário, agradeci por atenderem minhas chamadas. Agradeci a oportunidade de apresentar o que eu tinha a oferecer (mesmo se eles não comprassem).

Talvez você esteja pensando que se tratava de uma espécie de fanatismo meu, mas a prova está nos resultados. Funcionou! Quando essas pessoas às quais eu enviei bilhetes tinham uma questão imobiliária, meu nome lhes vinha à mente e elas me chamavam. Elas possuíam vários dos meus cartões de visita, pois, junto a cada bilhete, eu enviava um.

Hoje em dia, você pode automatizar estes tipos de mensagens para seus clientes por meio de um serviço on-line como o SendOutCards. Consome muito menos tempo do que eu levava na época, mas sem dúvida é tão eficiente quanto. Coloquei algumas informações a respeito disso no meu site.

Se você não estiver confiante em sua habilidade de redigir um bilhete de agradecimento, as palavras que meus alunos e eu temos usado há anos estão no meu site (consulte as Referências bibliográficas).

**6.** Vendedores são ágeis ao lidar com desafios. Isso inclui retornar ligações o mais rápido possível, pesquisando os detalhes das causas daquele problema e descobrindo ideias criativas para resolvê-lo. Ninguém quer enfrentar um cliente irritado. Mesmo assim, adiar a resposta a um problema apresentado por um cliente só fará aumentar a dificuldade à sua frente. Não imagine que você precise ter uma solução antes de entrar em contato com ele. Pense sobre como você se sente quando está infeliz com alguma coisa. Não é melhor quando alguém o acolhe rapidamente, seja para se inteirar dos detalhes ou, simplesmente, para ouvir seu desabafo? Depois que a calma e a clareza estiverem instaladas, as soluções podem ser pensadas e oferecidas. Quanto melhor você se mostrar na resolução dos inevitáveis desafios associados às vendas, mais seu negócio vai crescer — por indicação de terceiros. Você pode apostar que John e Mary falarão de seu problema com todos que eles conhecem. Você não acha que é sensato dar à história deles um final feliz?

Mesmo que você não consiga resolver aquele desafio total ou imediatamente, permaneça em contato com os clientes insatisfeitos até que eles fiquem satisfeitos ou prontos para seguir em frente — continuando a fazer negócios com você.

**7.** Vendedores se comportam com calma, humildade e competência em todos os momentos. Ninguém quer comprar de alguém que está em uma montanha-russa emocional, física ou financeira. Não importa que você esteja no auge, ganhando mais nesta semana do que ganhou no mês passado inteiro, ou que esteja em uma fase ruim e não saiba de onde virá seu próximo cliente. Ninguém, além de você, seu supervisor imediato e seus entes queridos, deve perceber que há desafios de qualquer espécie em sua vida.

A menos que sejam extremamente simpáticos, os clientes não se importam com que tipo de dia, semana ou mês você está tendo. Bem, em alguns casos, no varejo, eles não se importam nem mesmo em saber o seu nome.

Ao mesmo tempo, todas as pessoas do planeta são intuitivas. Elas captam as vibrações ou nuances de cada situação. Umas pessoas têm mais consciência disso do que outras. Algumas terão apenas um pressentimento ruim sobre você, seu produto ou a sua empresa, e não desejarão fazer negócio.

Seu objetivo, como um dos melhores vendedores, é parecer positivo, competente e calmo, tranquilizando seus potenciais clientes de que eles foram sábios ao decidirem procurá-lo, sábios ao considerar a compra de seu produto e sábios ao tomar uma decisão hoje, não importando o que esteja acontecendo em seu campo pessoal ou profissional.

Quando você pensa em "sabedoria", não lhe vem uma sensação de tranquilidade e de calma? Isso é o que você quer inspirar em todos com quem entra em contato — que são sábios para refletir sobre esta decisão particular de compra aqui e agora. Você não conseguirá fazer isso se estiver preocupado com o último telefonema que recebeu de seu cônjuge ou com a meta de vendas que ainda não foi atinginda ou com a próxima coisa que você tem de fazer depois de encontrar-se com aquelas pessoas.

Vamos observar a área médica para ter um bom exemplo disso. Se você se consulta com um bom médico, terá a impressão de que, quando está com ele, você é o paciente mais importante do mundo. Tanto você quanto ele podem saber que há uma sala de espera cheia de pessoas que precisam dos conhecimentos dele, mas por aqueles poucos minutos você está na sala a sós, e ele está totalmente concentrado em você. Está ouvindo calmamente a sua série de sintomas. Ele pode estar balançando a cabeça em sinal de compreensão. Talvez esteja fazendo anotações e perguntas. Isso faz você se sentir importante.

Ele não lhe parece arrogante quanto ao seu conhecimento médico superior... ao contrário, parece ser um grande conselheiro, que está sendo sincero quanto à tentativa de fazer você se sentir melhor. Você não começa a se perguntar se ele está tendo um dia ruim ou se a sua vida familiar é estável ou se o seu ramo de negócios está sendo afetado. Nunca lhe passará pela mente que algo possa estar acontecendo a ponto de afetar o julgamento dele sobre a sua doença atual. Isso porque ele é um profissional treinado e competente.

Isso é o que você deve fazer com cada cliente. Quando você os faz se sentir importantes e os ajuda a tomar decisões sábias, eles vão querer ajudá-lo em troca, provavelmente recomendando os seus serviços e, melhor ainda, comprando novamente com você.

*Observação*: Se alguma coisa para a qual você não souber a resposta vier à tona durante a sua demonstração, não ignore nem tente disfarçar (uma forte tendência em vendedores estereotipados). Diga a seus clientes que você pretende "verificar esta informação" para eles. Então, chame o seu gerente ou outro vendedor e confirme a resposta. Demonstrar o desejo de ser exato é um grande passo para conquistar a confiança dos clientes.

## COMO ESTÁ O SEU EGO?

À medida que você começa a alcançar o sucesso em sua posição de vendas, outras pessoas começarão a conhecê-lo. Logicamente, você será reconhecido pelo seu gerente de vendas pelo trabalho bem realizado. No entanto, você também pode chamar a atenção da alta gerência. Modéstia à parte, é incrível quando executivos atarefados, com cargos importantes, começam a elogiá-lo pelo seu trabalho. Seus colegas, os vendedores, também estarão observando. Como você responderá a toda essa atenção?

Há quatro maneiras básicas pelas quais os vendedores respondem a novos níveis de realização e à consequente notoriedade. Alguns vendedores são, basicamente, pessoas humildes que não gostam de ser o centro das atenções. Eles mal falam quando são parabenizados e desejariam arduamente, tanto ou quanto possível, que pudessem se transformar em papel de parede e não serem mais notados.

Não há problema em ser modesto, mas os seus sucessos futuros dependerão de como você aprende a lidar com o sucesso atual. Quer dizer, então, que você fica fora de sua zona de conforto ao aceitar elogios e reconhecimento. Se for o seu desejo permanecer no ramo de vendas e progredir dentro dele, você terá de aprender a lidar com os elogios e o reconhecimento que vêm com a conquista do território. É ótimo ser humilde, mas não tão humilde a ponto de não se permitir aceitar o merecido louvor dos outros e reconhecer para si mesmo que você merece isso. Deixe que o efeito dessa nova conquista siga seu curso e aumente o seu nível de autoconfiança. Afinal de contas, a autoconfiança aumenta a competência e a competência aumenta as vendas.

Force você mesmo, se tiver de fazer isso, a dar um passo adiante e aceitar o reconhecimento com elegância. Aprenda com outras pessoas que você observou recebendo reconhecimento e prêmios, mesmo se forem do Oscar.

Todos nós já vimos atores e atrizes, diretores e roteiristas subirem ao palco diante de milhões de pessoas e caírem no ridículo. Você não quer fazer isso, quer? Claro que não. Portanto, observe atentamente aqueles que aceitam os elogios de uma forma que o faz se sentir bem e respeitá-los. Estude-os e aprenda a seguir o estilo deles. Use as palavras que usaram se tiver de fazer isso. Com uma única precaução, porém: não tente usar as palavras de outra pessoa da sua empresa. Seja mais criativo do que isso, mesmo que tenha de tomar emprestadas as palavras de alguém de fora da empresa.

Outro tipo de vendedor aceitará o reconhecimento obtido por uma conquista, mas o minimizará, afirmando: "Poderia ter sido melhor." Ou "Eu poderia ter batido esse recorde, se apenas..." Essas pessoas estão tão inclinadas a atingir um nível abaixo do esperado que nunca se permitem comemorar o momento presente de glória. Se você for assim, eu lhe digo: "Pare e sinta o perfume das rosas." Se você não consegue ter um momento de descanso e relaxar aliviado por ter alcançado alguma grande façanha de vendas, você se consumirá com o estresse e o eventual desgaste. Por enquanto, por favor, perceba que, se estiver sempre esperando por algum momento no futuro para ser feliz, você perderá uma série de grandes coisas que estão acontecendo ao seu redor hoje.

É ótimo ter objetivos, e recomendo que você tenha o seu próximo nível de objetivos em mente, se eles já não estiverem definidos, antes de chegar ao seu nível atual. Mas nunca se esqueça de se dar algum tempo para aceitar e apreciar os frutos de cada meta alcançada. Se não houver tempo para o prazer, por que nos esforçaremos tanto para alcançar o objetivo?

Um terceiro tipo de vendedor é aquele no qual espero que você nunca se transforme, pois ser dessa maneira leva apenas à infelicidade e à ruína. É o vendedor que se torna um egomaníaco quando recebe elogios e louvores por suas realizações. Se você começar a pensar em si mesmo como um mago das vendas e o maior trunfo que a sua empresa jamais possuiu, acha que os elogios vão durar muito tempo? Provavelmente não. Não há problema em se orgulhar por fechar uma venda difícil ou ganhar uma licitação, mas não demore muito para voltar à realidade. Perceba que, se você começar a acreditar que é tão bom que não precisa mais trabalhar, muito em breve não estará trabalhando mais nisso. Você estará procurando outra colocação.

O quarto tipo de vendedor é o ideal. É nele que eu adoraria ver você se transformar. Quando você atingir um grande resultado, aceite as honras com elegância. Agradeça a todas as pessoas da empresa que ajudaram você a atingir este status. Dê o crédito a quem merece crédito. Esteja disposto a compartilhar suas experiências. Se uma nova estratégia ou técnica funcionou com o seu produto, esteja disposto a demonstrá-la para o resto da equipe de vendas — quando seus integrantes pedirem.

Se não pedirem, e você tentar lhes oferecer o seu melhor material, muitos vendedores medíocres não conseguirão evitar a interferência de seus próprios egos. Eles não vão querer aceitar a ajuda, porque isso significaria admitir que não são tão bons quanto você. Ninguém quer admitir que é inferior a ninguém, por isso tenha cuidado na maneira como oferece ajuda. Você pode querer compartilhar uma ideia de maneira casual. Não tente estabelecer a "Escola de Técnicas do Vendedor Campeão". De qualquer maneira, os membros de sua equipe realmente sérios geralmente virão até você diretamente e pedirão ideias ou ajuda. Dê-lhes toda a ajuda que puder, sem afetar demais o tempo que você gasta com os clientes. Afinal, você não será capaz de permanecer no topo se não atender bem aos seus clientes.

Tenha em mente que qualquer tipo de reconhecimento conquistado em sua profissão de vendedor é um elogio que recebe por atender às necessidades dos outros. A palavra-chave aqui é *servir.* Tenho ensinado por muitos anos que, em vendas, seus rendimentos são um reflexo direto de sua capacidade de servir aos seus clientes. Nunca se esqueça disso. Não deixe seu ego ficar tão inflado a ponto de interferir no nível de serviço que você oferece. Lembro-me de uma mensagem que alguém me enviou para compartilhar com meus alunos há alguns anos. Chama-se Prece do Vendedor. É assim: "Senhor, proteja-me do meu próprio ego."

Você sempre deve ter, no mínimo, tanto interesse por seus clientes quanto tem por si mesmo. Se a sua atitude soar muito distante e poderosa para eles, muito em breve você não terá nenhum cliente. Para manter seu ego sob controle, sempre pense nos clientes como as pessoas a quem você serve.

## SUA REPUTAÇÃO NO ESCRITÓRIO

Se suas vendas estiverem subindo vertiginosamente, há outro ponto a se considerar: como seus colegas de trabalho lidarão com toda a atenção que você está recebendo? Costuma-se dizer que os amigos podem suportar qualquer coisa, exceto o seu sucesso. Mais de mil anos atrás, a inveja foi identificada como o quarto pecado mortal. Ela é cruel — e quase universal. Se os seus amigos pessoais terão problemas para lidar com o seu sucesso, como a equipe do escritório lidará com isso?

Boa parte da maneira como ela lidará com o seu sucesso dependerá de como você lida com o sucesso alheio. Pense nisso por um momento. Eu sei que isso soa praticamente como a Regra de Ouro, mas se você tratar os outros com admiração e respeito por seus sucessos, eles provavelmente o tratarão assim quando você for bem-sucedido.

Se os outros se sentirem desafiados pelo seu sucesso, como expressarão isso? Sutilmente, porque eles não podem admitir, até para si mesmos, que não gostam de você só porque está se saindo melhor do que eles. Mas você pode sentir a desaprovação, a frieza, o ciúme.

Claro, os mais amadurecidos de sua equipe serão os primeiros a felicitá-lo e desejar-lhe ainda mais sucesso. Entretanto, é lamentável, mas o mundo do trabalho não está repleto de pessoas maduras e competentes. Há muitos tipos de pessoas no mundo e apenas um tipo é o ideal. É preciso reconhecer e lidar, também, com as outras personalidades não tão ideais.

O que você pode fazer quanto às pessoas que não estão felizes com o sucesso e o reconhecimento que está recebendo? O segredo é abandonar a ideia de que você deve receber aprovação delas. Se você almejar a aprovação das pessoas ao seu redor, estará sujeito ao seu nível de mediocridade. Inconscientemente, você limitará seus próprios esforços de vendas, de modo a não perturbar seus colegas de trabalho, o que significa encaminhar sua carreira na mesma direção que a carreira deles. Para a maioria dos vendedores no mundo, essa direção não aponta para o nível mais alto da escala de realização.

Você tem de fazer uma escolha. Está disposto a sacrificar o seu futuro para obter um "Oi" mais caloroso de seus colegas vendedores logo pela manhã? Provavelmente, não. A melhor maneira de lidar com essas pessoas é manter-se positivo e simpático, como você sempre foi. Não reaja a quaisquer comentários insultuosos ou zombarias. Receba tudo com um sorriso. Isso as matará. No fim, o esporte de atacar a pessoa mais produtiva perderá o interesse, e elas o deixarão em paz.

Se você não for o funcionário mais produtivo de todos, em vez de se unir às pessoas negativas do escritório, condenando os mais bem-sucedidos, observe de perto os que produzem mais e aprenda com eles, para que você possa chegar tão longe quanto eles.

## COMO VOCÊ LIDA COM A CRISE?

Abordamos situações em que você é inacreditavelmente bem-sucedido, e esperamos que, com os ensinamentos adquiridos aqui e em outras fontes, este seja o caso na maior parte do tempo. Agora, e quando seus resultados são inacreditáveis no sentido oposto? Como agirá, então? O primeiro passo é encontrar um espelho. Olhe-se no olho e diga: *"Estou vendendo pouco porque não estou atendendo clientes suficientes ou não estou atendendo suficientemente bem os clientes que tenho."*

Para alguns vendedores, a coisa mais difícil do mundo é admitir que tudo se resume a esse rosto no espelho. Isso se chama responsabilidade, e pode ser uma experiência extremamente humilhante (especialmente se você não for um introvertido interessado e humilde).

Se você estiver usando o Gráfico de Atividades Diárias, mencionado anteriormente, ou algum outro método para rastrear suas atividades em comparação com a produtividade, perceberá a crise se iniciando muito antes de os efeitos aparecerem, e será capaz de tomar medidas para evitar ou, pelo menos, suavizar o golpe. Se uma crise atingir o seu setor como um todo, isso não será uma surpresa, se estiver preparado. Novamente, você será capaz de observar os sinais de alerta e tomar medidas que serão favoráveis tanto para os seus clientes quanto para sua própria carreira.

O maior erro que você pode cometer é atribuir inteiramente a desaceleração nas vendas a um mercado recessivo, ao noticiário negativo ou a qualquer outra coisa. Por quê? Porque ao jogar a responsabilidade a alguém ou a algo fora de si mesmo, você arruma uma desculpa e exime-se de consertar o que só você pode consertar. Isso o coloca em um lugar negativo. Você se permite chafurdar na autopiedade ou se absorver no que está errado, em vez de trabalhar em prol de algo positivo, bom e correto — uma solução!

Pode ser um erro igualmente grande culpar a si mesmo por todo o seu declínio nas vendas, a menos que você seja a única pessoa em sua empresa a enfrentar esse problema. Os mercados são flutuantes. Os concorrentes irão desenvolver, com mais rapidez, melhores produtos e tecnologias mais recentes do que as suas. Os consumidores nem sempre serão fiéis à sua marca.

Se o mercado como um todo estiver em crise, é o momento de se tornar criativo com suas táticas de venda. Se o mercado estiver bem, mas seu desempenho estiver baixo, é hora de voltar aos princípios de venda e aprimorar suas habilidades até um novo nível de serviço.

## ALTERANDO SUAS TÁTICAS

Quando se trata de pensar e agir criativamente para estabelecer novos negócios, ou para realizar mais transações com os clientes atuais, permanecer positivo é de grande ajuda. Não estou dizendo para ver o mundo em cor-de-rosa e tentar ignorar o fato de que você está enfrentando um desafio. Ao contrário, olhe para o lado positivo de tudo. Tudo na natureza tem o seu equivalente e o seu oposto — para cima/para baixo, esquerda/direita, dentro/fora, e assim por diante. Um não pode existir sem o outro. Então, se você está vendo uma série de coisas negativas à sua volta, faz todo o sentido que também haja aspectos positivos.

Se, no momento, os seus maiores clientes estão fazendo pedidos menores ou com menos frequência, provavelmente eles estão sentindo a mesma dificuldade que você. Em vez de se preocupar com a próxima encomenda que eles lhe fizerem, pense sobre como pode ajudá-los a enfrentar a situação. Como profissional de vendas, você encontra mais pessoas em diferentes empresas em um único mês do que a média dos funcionários de uma única empresa em um ano inteiro. Pense sobre o que a empresa A está fazendo para sobreviver ao atual desafio de mercado e considere se é algo de que a empresa B também poderia se beneficiar. Claro, nunca compartilhe informações com empresas concorrentes, mas, sempre que apropriado, seja um guia de referência ambulante para todos os seus clientes. Eles não só lhe agradecerão verbalmente pelo incentivo, como continuarão fazendo negócios com você.

Se não estiver investindo todo o seu tempo atendendo suas maiores contas porque elas diminuíram a demanda, dedique mais tempo a seus clientes menores. Eles podem apreciar a atenção adicional, e você pode descobrir novos caminhos para vendas aumentando a quantidade de negócios com eles ou a partir de indicações que eles não tenham lhe dado anteriormente (quando você não estava lhes oferecendo o seu mais alto nível de serviço).

Reserve tempo em sua agenda semanal para conquistar novos clientes potenciais (como se fosse uma prospecção). Você pode fazer isso por telefone, correio, e-mail ou fax. Comece considerando sua base de clientes. Quem é seu cliente ideal? Que tipo de negócio? Ou você atende, essencialmente, a famílias? Se forem famílias, elas são, em sua maioria, jovens — acabaram de adquirir sua casa própria e ter filhos? Ou são um pouco mais velhas, com necessidades diferentes?

Depois de ter clareza sobre o grupo demográfico de seus clientes ideais, busque ser indicado para aquelas pessoas, ou considere aderir a um grupo comunitário (se for o caso), onde você irá encontrá-las. Se ainda não for um beneficiário das oportunidades das redes sociais, procure por essas pessoas ali mesmo, em sua cidade. Você pode se surpreender ao constatar que um grande grupo de pessoas que o apoiará e recomendará os seus serviços já se reúne em sua própria rua uma vez por mês ou até com mais frequência do que isso.

## VOLTANDO AOS PRINCÍPIOS FUNDAMENTAIS DE VENDAS

Se você e somente você estiver enfrentando uma crise nas vendas, é hora do "treinamento de primavera" ou "campo de treinamento da pré-temporada". Todos os atletas profissionais começam do começo, antes de cada temporada. Para dar início a uma nova fase bem-sucedida de vendas, você precisa fazer o mesmo.

Você não tem necessariamente de ir a algum lugar, mas ficar longe do seu ambiente cotidiano pode ajudar a redirecionar o foco para os princípios de vendas. Pense na época em que era novo no ramo de vendas. O que você fazia a cada dia? Provavelmente não muito, em comparação com a atividade desenvolvida quando estava no ponto mais alto de sua carreira. No entanto, naquela época, você se preocupou em conhecer o produto, conversar com outros que se saíam melhor, frequentar reuniões e sessões de treinamento e fazer milhares de telefonemas para novos clientes potenciais, o que estabeleceu as bases para o crescimento que viria em seguida. Dependendo do grau de profundidade de sua crise, talvez não precise voltar tanto assim, mas é uma boa ideia rever as atividades que costumava praticar e acrescentar algumas delas na sua programação atual.

Olhe para a desaceleração em suas vendas como uma oportunidade de reconstrução. As novas habilidades que adquirir e a atitude resiliente que você desenvolver para superar qualquer crise servirão muito bem pelo resto de sua carreira.

## RESUMO

- Você fez das vendas um hobby. Suas antenas estão ligadas o tempo todo para novas ideias, a fim de se tornar um vendedor bem-sucedido.
- Você conhece o seu estilo de vendas atual e está agindo para equilibrar corretamente doses de introversão e extroversão no seu novo e aprimorado estilo de vendas.
- Você está desenvolvendo as características dos maiores vendedores.
- Seu ego está sendo monitorado. Seja capaz de administrar tanto o sucesso quanto o fracasso com o mesmo grau de elegância e personalidade.

# 3. Em que estágio do ciclo se encontra o seu negócio? (E o que fazer quanto a isso)

*Aqueles que não conseguem lembrar o passado estão condenados a repeti-lo.*

George Santayana, filósofo espanhol.

Apesar de não ser nenhum gênio da economia, posso falar de minha experiência própria, com base em várias décadas de dedicação aos negócios. No mundo todo, eles funcionam em ciclos. O ciclo típico tem várias etapas. As etapas que tenho observado tendem a seguir o seguinte padrão.

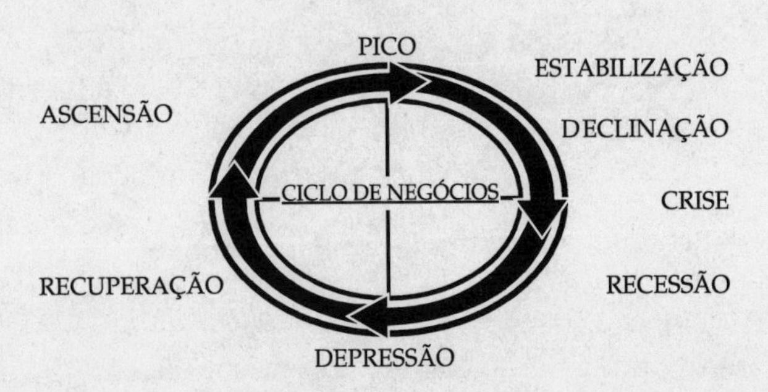

Dentro de cada etapa, apenas três coisas podem acontecer: (1) as coisas melhorarem, (2) as coisas continuarem as mesmas ou (3) as coisas piorarem.

Isso não é nada complexo. É um ciclo, um padrão, uma sucessão de etapas. Existem temporadas para os negócios, assim como existem temporadas em nossas vidas pessoais e na natureza. Como profissionais dedicados ao sucesso em nossos negócios e em nossas vidas pessoais, precisamos entender isso e seguir sempre o lema dos escoteiros de estar preparado. Quanto mais tentamos nos fixar em um ciclo que está terminando por qualquer razão, mais difícil nos parecerá obter sucesso no próximo. Normalmente, o motivo para se aferrar ao passado é que não estamos preparados para o futuro. Em alguns casos, nós simplesmente não estávamos prestando atenção. Isso não pode continuar.

Vamos entrar em mais detalhes sobre essas etapas para que você continue a ter sucesso em toda a sua carreira de vendedor.

Sendo uma pessoa geralmente positiva, começarei com o Pico. Isto é, quando o negócio está indo bem. A taxa de desemprego é baixa. Avanços estão sendo feitos aparentemente todos os dias em tecnologia e no campo da medicina, e as trocas comerciais, em geral, se estabelecem de forma saudável.

Uma das afirmações mais verdadeiras que já ouvi é: "Isso também passará." Se você estiver feliz ou triste, se o negócio for bom ou ruim, não importa. Isso também passará. E se não entendermos esse conceito e não trabalharmos dentro dele, não seremos tão bem-sucedidos quanto poderíamos.

Como seres humanos, não conseguimos suportar o tempo todo a novidade. Diz-se que o ser humano comum precisa de 72 horas para absorver uma nova ideia. Uma vez que centenas, se não milhares de descobertas estão, literalmente, ao alcance de nossas mãos todos os dias, tudo isso só fará sentido quando, enfim, tivermos de dar um passo atrás para absorver tudo. É quando as coisas tendem a se estabilizar.

A maioria das etapas de Estabilização em minha vida não duraram muito tempo, porque logo que a reconhecemos, algo acontece. Alguém apresenta uma ideia nova para a comercialização de um antigo produto ou para alcançar um novo mercado para aquele produto. Um bom exemplo disso são os automóveis. Você sabia que quando os automóveis foram lançados em série no mercado, eles só eram fabricados em uma única cor? A cor preta.

Eis aqui um trecho sobre isso, retirado da enciclopédia livre on-line Wikipédia:

> Henry Ford é comumente conhecido por ter declarado: "Qualquer cliente pode ter um carro da cor que quiser, contanto que seja preta." Na verdade, os Modelos T em diferentes cores foram produzidos entre 1908 e 1914, e novamente entre 1926 e 1927. Afirma-se, frequentemente, que a Ford escolheu a cor preta porque a tinta secava mais rapidamente do que outras tintas coloridas disponíveis naquele momento, e uma secagem mais rápida da pintura lhe permitiria construir carros com mais velocidade, pois não seria necessário esperar tanto tempo para a tinta secar.
>
> Mais de trinta tipos diferentes de tinta preta foram usados em várias partes do Modelo T. Elas foram formuladas para atender aos diferentes meios de aplicação nas várias partes, e tinham tempos distintos de secagem, dependendo da parte, da tinta e do método de secagem. Documentos da engenharia da Ford sugerem que a cor preta foi escolhida porque era barata e durável.

Você pode imaginar onde estaríamos hoje se esta filosofia tivesse perdurado? E se todos nós aceitássemos o "barato e durável" como padrão para tudo o que tivéssemos? Nós estaríamos dirigindo carros pretos e vestiríamos tecidos e cores naturais. A ideia do tecido natural é provavelmente boa, mas duvido que muitos estilistas (ou consumidores, neste caso) iriam optar apenas por essas cores.

Se você conhecer qualquer pessoa que tenha vivido a Grande Depressão da década de 1930, talvez saiba que elas foram as primeiras recicladoras, porque isso era tudo o que sabiam fazer. Qualquer coisa que não fosse barata e durável era uma extravagância. E, com bastante frequência, você encontrava novos usos para coisas antigas. Algumas das lições aprendidas durante aqueles tempos de vacas magras foram aprimoradas de forma valiosa, mas, como diz a citação de abertura deste capítulo, também estamos repetindo alguns erros históricos.

Deixe as coisas se estabilizarem por algum tempo e as pessoas ficarão ansiosas pela mudança. Em muitos casos, a mudança surge como um verdadeiro alívio. Pessoas e empresas compram mais, e isso leva a uma Ascensão no mercado. No entanto, em função de sua ansiedade, algumas empresas fazem avaliações errôneas e fabricam produtos de baixa qualidade, produtos demais ou — com base em uma pesquisa de mercado deficitária — que poucas pessoas querem ter. Nesse caso, o mercado fica saturado de produtos.

Durante a mudança, novos empregos são criados, investe-se em equipamentos para fabricar os produtos, reserva-se dinheiro para as ações de marketing e linhas de distribuição são colocadas em prática. Quando os armazéns estão cheios e não há demanda suficiente, tais setores se movem para a próxima fase — o Declínio.

*O sucesso na vida não vem de ter boas cartas na mão, mas de jogar bem as más cartas que se tem.*

Denis Waitley

Uma desaceleração econômica é o momento de voltar atrás e usar as 72 horas mencionadas anteriormente para reavaliar a sua própria posição na economia. Quão sólida é a sua situação financeira pessoal? Você é um dos destaques no seu setor, e se manterá bem caso as coisas piorem? Se não, qual é o seu plano B? Você está preparado para assumir mais negócios se as coisas melhorarem?

Lembre-se, vender é prestar serviços. Se não estiver preparado para atender mais clientes quando as coisas melhorarem, você pode ser a causa de sua própria derrocada nos negócios. Se não tiver uma lista de medidas de corte de custos que possa ser acionada se as coisas não melhorarem (ver capítulo 11), você pode arruinar o seu potencial para a recuperação.

A próxima etapa é a Crise. Quem nunca teve uma desaceleração nas vendas? Certamente, não os vendedores profissionais. Conversamos um pouco sobre crises no capítulo 2, mas vamos realmente defini-las aqui. A crise é uma queda brusca na produtividade. Seja em sua própria produtividade ou na de sua empresa ou setor, não importa. Ela transparecerá nos seus resultados pessoais. Para sair de uma crise, existem coisas que você pode fazer pessoalmente e sugerir a outras pessoas da empresa.

Primeiro, reconheça que está passando por uma crise. Esta pode ser a parte mais difícil. A negação é comum quando se está diante de um crescimento tímido, especialmente aqueles que afetam negativamente nossa segurança (soletra-se D-I-N-H-E-I-R-O). Quando as vendas estiverem em queda acentuada, admita que você está em crise. A partir daí, resolva tomar medidas vigorosas que lhe permitirão refazer seu caminho de volta para uma sólida produção.

Em segundo lugar, descubra por que está em crise. Se você manteve registros precisos, rapidamente será capaz de constatar se o momento atual é autoinduzido (você não é mais tão ativo quanto era antes) ou causado por uma força externa. Até saber exatamente o que afetou o seu desempenho nas vendas, você não conseguirá sair da crise.

Em terceiro lugar, planeje como você neutralizará esse estágio atual. Se estiver em crise pessoal e perceber que perdeu o hábito de prospecção, é por aí que deve recomeçar. Talvez seja o momento de investigar alguns métodos alternativos, como prospecção on-line ou por redes sociais. Se a sua crise tiver sido motivada porque você não se mantém em contato com clientes novos e antigos, é fácil de corrigir — embora você possa ter de engolir seu orgulho e admitir a alguns deles que tem sido negligente em responder às suas necessidades. Se fornecer um produto de qualidade em troca de um investimento considerado justo pelo mercado, a maioria das pessoas irá perdoá-lo e ficará ao seu lado, contanto que você não crie o hábito de ignorá-las.

Se a crise for causada por algo externo à organização, comece a conversar com outras empresas do setor para saber mais sobre o que está acontecendo. Analise em profundidade o que você está ou não fazendo para manter a sua participação de mercado. Então, observe o que a concorrência tem feito para conseguir o mesmo. Os movimentos que precisará fazer devem se tornar bastante evidentes.

Se todos estiverem sofrendo uma desaceleração na produtividade, talvez você precise ser criativo. Faça uma pesquisa sobre outros setores que estão conseguindo se manter ou se saindo bem. Existem ideias que você pode tomar emprestadas e que sejam aplicáveis ao seu negócio?

A quarta etapa para sair da crise é agir. Não invista tanto de seu tempo e esforço acreditando que as coisas descambarão para a fase seguinte (Recessão), antes de fazer algo a respeito da crise. Diligentemente, busque as informações das quais precisa, mas comece a sair desse estágio o mais rapidamente possível.

A próxima fase de nosso ciclo de negócios é a Recessão. Por definição, é a fase de contração do ciclo econômico, um período de redução da atividade econômica.

Desde o ano de 1919, houve pelo menos 16 períodos de recessão, com duração média de 13 meses cada um. Nunca os tema, embora estejamos abordando um assunto não tão positivo; houve mais de trinta ciclos de expansão durante esse mesmo período.

Muitas dessas recessões afetam alguns setores mais duramente do que outros. Na década de 1970, ocorreu uma crise do petróleo. Houve escassez de gasolina e as pessoas tinham de esperar em longas filas para abastecer os seus veículos. Os preços por barril subiram até 150%.

No início dos anos 1980, elevadas taxas de juros de hipotecas impactaram negativamente o mercado imobiliário e tudo que se relacionava a imóveis. Isso também afetou, naquela época, os produtos derivados de aço e a produção de automóveis.

O início dos anos 1990 viu o colapso das economias e da indústria de empréstimos. No fim dos anos 1990, muitos de nós sofremos com a confusão da bolha da internet.

No início dos anos 2000, muitas pessoas nos Estados Unidos se beneficiaram de uma bolha econômica. O mercado imobiliário crescia. Era mais fácil do que nunca obter uma hipoteca. A taxa de desemprego era baixa. Pessoas e empresas estavam consumindo a uma taxa fenomenal. O mercado de ações estava atingindo novas máximas. Os dias felizes estavam verdadeiramente de volta!

Em seguida, insuflamos a bolha, que ficou um pouco grande demais e explodiu. O ciclo começou a mudar, o mercado começou a se reequilibrar e muitas pessoas e negócios perderam seu rumo.

A única coisa interessante que aconteceu foi uma convergência de ciclos. Perceba, o setor imobiliário funciona em um ciclo aproximado de 18 anos. Em outros setores, os ciclos são de 12. No entanto, há setores que levam dez anos para cumprir um ciclo inteiro. Alguns o percorrem em menos de quatro.

Não sou matemático, mas até eu posso constatar que vários desses setores atingiram a curva descendente de seus ciclos muito próximo uns dos outros. Alguns setores foram fortemente impactados pela política da época, enquanto outros, simplesmente, seguiram o seu curso normal. Acrescente-se a isso uma eleição presidencial norte-americana sem a homologação do vencedor e podemos falar de incerteza até a exaustão. Meu foco como palestrante durante épocas como essas é recomendar às pessoas que parem de falar sobre coisas negativas e façam algo positivo.

*Se uma pessoa acredita que algo é verdadeiro (seja ou não verdadeiro), então ela age como se fosse. Instintivamente, ela procurará reunir fatos para apoiar sua crença, não importando o quanto eles sejam falsos.*

ROBERT ANTHONY

Recessões, não importa o tamanho ou a duração, tendem a criar incerteza e medo nos consumidores e nas empresas. No entanto, você está lendo este livro hoje e sabe que houve períodos de crescimento e expansão que se contrapuseram a todas as recessões do passado. Não é tão diferente de acordar depois de uma nevasca durante a noite; no fim, cavamos para sair e seguimos em frente com nossas vidas.

Depressão. No início dos anos 1920, a economia norte-americana estava crescendo. Havíamos saído da Primeira Guerra Mundial vitoriosos e otimistas. O norte-americano médio estava ocupado comprando automóveis e eletrodomésticos a crédito, aproveitando a Era do Jazz e novas liberdades. Muitos também estavam especulando no mercado de ações. Apesar de tudo, os novos hábitos e práticas se revelaram insustentáveis. Em outubro de 1929, o mercado acionário caiu, provocando o pior colapso econômico da história do moderno mundo industrial. Espalhou-se dos Estados Unidos para o resto do mundo, e durou quase 12 anos! Bancos faliram. Negócios fecharam as portas e mais de 15 milhões de norte-americanos se tornaram desempregados. As pessoas foram forçadas a desenvolver hábitos de poupança e de frugalidade. Antes da Grande Depressão, os governos, tradicionalmente, exerciam pouca ou nenhuma interferência em tempos de desaceleração dos negócios, confiando nas forças do mercado para alcançar as correções econômicas necessárias. Essa depressão foi simplesmente profunda demais para que houvesse uma recuperação rápida, de modo que os governos intervieram com regulamentos, obras públicas, serviços de previdência social e aumento do déficit público, a fim de dar início imediato a uma indispensável recuperação econômica.

Vamos passar para a Recuperação. Seja na vida pessoal ou na de negócios, durante uma recuperação começamos a perceber uma redução de notícias ruins. Nossos salários começam a se estabilizar. Alguns de nossos clientes requisitam quantidades maiores ou com mais frequência. Podemos até receber mais pedidos que a concorrência. No entanto, este é o momento em que a maioria das pessoas sente a necessidade de engatinhar. Não é tão diferente de se recuperar de uma doença grave. Podemos estar nos sentindo melhor do que antes, mas ainda não estamos prontos para participar de qualquer maratona. Durante a Recuperação, é prudente acompanhar o rumo das coisas com firmeza, oferecendo um serviço excepcional aos clientes atuais antes de tentar expandir seus negócios (ou, dependendo de como você considere a questão, enfraquecer-se com um grande volume de clientes).

A próxima etapa, é claro, é a favorita de todos — a Ascensão. Nessa etapa, a confiança se fortalece e sobra criatividade. Todos ficam atarefados, e não apenas os campeões. Eles estiveram trabalhando o tempo todo!

## O QUE FAZER QUANDO APENAS O SEU SETOR É PREJUDICADO

Em meados dos anos 1960, o conceito de compartilhamento de bens imóveis foi lançado na Europa. Ele cruzou o oceano até os Estados Unidos por volta de 1969. Em 1975, havia 45 resorts norte-americanos, com mais de 10 mil membros. Os que se inteiravam do conceito, investiam nele e o utilizavam, estavam muito felizes. No entanto, certas práticas de marketing na indústria, combinadas com ganância, tanto por parte dos consumidores quanto dos vendedores, fizeram com que as coisas se tornassem desagradáveis.

Os consumidores aceitavam visitar as propriedades apenas para receber brindes de incentivo, nunca com a real intenção de comprar. Alguns dos vendedores eram muito pouco profissionais e um tanto agressivos na tentativa de concretizar as vendas quando identificavam os clientes que não tinham a intenção de comprar nada. O setor recebeu uma abordagem negativa por parte da imprensa, e o que é pior — os comentários entre os consumidores se tornaram negativos. O setor precisava de ajuda para mudar de rumo. Bem, ele assim o fez, e, em 1° de janeiro de 2007, 4,4 milhões de famílias possuíam um ou mais bens imóveis compartilhados para utilização semanal nos Estados Unidos. Grande parte dessa recuperação esteve relacionada ao fato do próprio setor elevar o padrão de suas equipes de vendas. Uma formação cada vez mais profissional passou a ser oferecida, e o setor começou a monitorar suas melhores práticas.

Nos primeiros anos deste século, houve muitos negócios no setor de hipotecas e de imóveis, e os colegas de profissão mais antigos não conseguiram dar conta de todas as demandas. Vários novatos entraram nesses dois ramos — muitos deles, para aproveitar a possibilidade de fazer dinheiro fácil. Infelizmente, eles não tinham as habilidades e a experiência para justificar os rendimentos que ganhavam.

Em alguns casos, tendo a acreditar que os proprietários que mais tarde começaram a ter problemas de execução de hipotecas não compreenderam verdadeiramente onde estavam se metendo. Eles podem ter trabalhado com agentes imobiliários ou corretores de hipotecas inexperientes, que não os instruíram bem. Ou podem ter tido a infelicidade de trabalhar com vendedores ou empresas poucos profissionais, que se aproveitaram deles.

Admitamos que este é um mundo em que os compradores têm de estar atentos e que devem procurar informação sólida antes de assinar qualquer documento, mas há muita responsabilidade pessoal que deve acompanhar o empenho do profissionalismo. A premissa de todas as pessoas verdadeiramente bem-sucedidas no campo das vendas é que o produto, serviço ou oferta devem ser realmente bons para o cliente. Este termo *bom* também deve indicar, que, para os consumidores, se trata de um movimento prudente do ponto de vista financeiro, no que diz respeito aos benefícios que ele proporciona.

Portanto, o que nos ensinam esses exemplos? Que quanto mais profissionais formos, menos afetados seremos por um baque em nosso setor. Quando você é um dos bons e está verdadeiramente a serviço das necessidades de seus clientes, oferecendo um produto de qualidade, conquistará um grande índice de fidelização de clientes em momentos difíceis.

Por favor, observe que, mesmo tendo um alto nível de boa vontade com seus clientes, você precisa ser proativo em contactá-los sempre que houver notícias negativas na imprensa sobre sua empresa ou setor. Seria melhor entrar em contato com eles pessoalmente; o segundo melhor meio é o telefone, e o último seria via e-mail ou carta. Sua mensagem deve reduzir os medos ou ansiedades que a notícia pode ter criado e deixar que os clientes saibam que você está no controle da situação e segue cuidando para defender seus melhores interesses.

Ao procurá-los antes de eles o contactarem, isso lhes deixa mais confiantes em suas habilidades de especialista e no quanto você se dedica à sua área. Lembre-os do seu tempo de experiência no setor e que pretende permanecer nele por um longo tempo. O seu próprio compromisso pessoal e entusiasmo desempenharão um importante papel para apaziguar os medos e manter seus clientes.

## O QUE FAZER DIANTE DE UM CICLO DESAFIADOR

A primeira coisa a fazer é manter sua atitude positiva. Sei que isso pode parecer difícil, mas não fazê-lo não ajuda nada. Deixar as coisas negativas chegarem até você é o que os vendedores medíocres fazem. E você não é medíocre!

Quando você está para baixo, tem mais chances de encontrar razões para não fazer as coisas importantes que rendem dinheiro. Por quê? Porque fazer essas coisas também poderia levar à rejeição. Quando já está se sentindo para baixo, o seu limiar para lidar com a rejeição também tende a ser baixo. Em outras palavras, se permitir que o seu ânimo esmoreça, seu desempenho nas vendas também cairá.

Quase todos os escritórios têm, pelo menos, uma pessoa com quem conversamos por cinco minutos e já nos sentimos emocionalmente esgotados. Preste atenção no tempo que você está gastando com ela e restrinja-o. Se possível, fique inteiramente longe dela por alguns dias. Sua atitude positiva é um bem precioso — ainda mais precioso quando você estiver enfrentando desafios.

Trabalhe para que todos que você consiga influenciar sejam proativos em relação à positividade. Faça com que sua família ou colegas que morem com você procurem compartilhar boas notícias. Afixe ditados ou citações positivas em torno da casa, para que possa vê-los enquanto se prepara para mais um dia de trabalho. Talvez você não consiga ter uma grande influência sobre o que acontece fora de sua casa, mas, certamente, pode estabelecer o tom do que acontece dentro dela.

Faça o que puder para diminuir o provável caos das primeiras horas da manhã, quando todos estão saindo de casa. Esse caos suga a sua energia emocional tanto ou quanto uma rejeição nas vendas. Não corra o risco de iniciar o seu dia pelo lado negativo das coisas. Manter uma atitude positiva é, na verdade, uma economia de tempo. Quando você se permite ficar na fossa, não é apenas o seu entusiasmo que se deixa afetar; a sua eficácia também diminui.

Já discutimos que você deve responder, em vez de reagir a acontecimentos que estiverem além de seu controle. Mas qual seria a resposta adequada a um ciclo descendente? Você quer trabalhar em atividades que ajudem a transformar todos os possíveis medos ou ansiedades em energia. Você quer perseguir objetivos desafiadores, mas, ainda assim, realistas. Como diz Gerhard Gschwandtner, editor da revista *Selling Power*: "A economia pode esvaziar nossos bolsos, mas não pode esvaziar nossos espíritos."

Então, vamos trabalhar! Ao longo dos anos, notei que as pessoas bem-sucedidas — as que lideram empresas, constroem patrimônios e exercem seu mais elevado potencial — não gastam muito mais tempo trabalhando do que muitas das pessoas mal-sucedidas. A diferença é que as pessoas bem-sucedidas têm a capacidade de obter maior produtividade por cada hora investida.

Como elas fazem isso? Seu método é incrivelmente simples. Na verdade, é tão simples que muitos nem sequer acreditarão que funciona e nem mesmo tentarão colocá-lo em prática. Ensinei esse método para centenas de milhares de alunos ao longo dos anos. Muitos me disseram que funciona para eles, da mesma forma que funciona para mim. No entanto, eles ainda não conseguem acreditar que seja tão simples.

Toda a ideia se resume a não tentar fazer muitas coisas. É um fato estabelecido que a pessoa média não consegue lidar satisfatoriamente com mais de seis ou sete coisas ao mesmo tempo em sua mente. Mas procuramos fazer isso o tempo todo — pelo menos, até adotarmos o simples método de anotá-las. Não desista de mim agora, por achar que só estou aconselhando-o a preparar uma lista de "coisas a fazer". Essa estratégia é mais profunda do que isso.

Manter uma pequena lista significa que você filtra o que é verdadeiramente importante fazer a cada dia. Afinal, hoje é tudo o que temos, certo? E anotar (ou inserir essas coisas) ajuda a resumir os detalhes e visualizar as tarefas já realizadas.

Acredite em mim, uso essa estratégia há anos, e ela me ajudou não apenas a ser mais produtivo, mas a diminuir a quantidade de tempo que consumo me preocupando. Admito que sou um preocupado crônico. É algo que tenho tentado aprimorar há anos e continuo fazendo. Mas descobri que me preocupo muito menos do que costumava fazer no que diz respeito à realização de coisas importantes. Sei que não as esquecerei, porque estão anotadas onde eu consigo vê-las todos os dias.

O próximo passo dessa simples estratégia é classificar os seis itens na ordem de importância. Earl Nightingale era um dos oradores públicos mais populares quando comecei minha carreira de vendedor. Fui ouvi-lo falar em inúmeras ocasiões e comprei várias de suas fitas. Em seu programa de áudio *Lead the Field*, ele afirma que ele mesmo usava essa estratégia. Uma vez, um amigo comentou com o Sr. Nightingale, assim como ele, nunca parecia apressado ou ansioso, que deveria ser uma pessoa muito bem organizada. O Sr. Nightingale respondeu que a ansiedade é causada pelo acúmulo de coisas na mente; usando essa mesma estratégia, ele privilegiava apenas uma coisa — a sua próxima tarefa. O foco que ele obtinha com essa simples estratégia lhe permitiu atingir um nível de excelência com que poucos nem sequer sonham. Quando terminava a Tarefa nº 1 daquele dia, ele revisava a lista de tarefas e começava a Tarefa nº 2.

Outro benefício secundário de utilizar essa estratégia simples é que, se você criar a sua lista no fim de cada dia, dormirá melhor. Seu subconsciente trabalhará para prepará-lo para as tarefas do dia seguinte durante o sono. Em breve, você se descobrirá não só despertando com a mente relaxada por uma boa noite de sono, mas com grandes ideias para realizar as tarefas do dia de uma forma melhor e mais produtiva.

Quando você começar a usar essa estratégia, poderá achar difícil restringir suas tarefas a seis. Isso é normal. Depois de uma semana ou mais de prática, se tornará um hábito.

Uma advertência: não imagine que essa lista lhe permitirá cumprir 12 horas de trabalho em uma jornada de oito horas. Conheça os seus limites. O objetivo é ter um dia produtivo e tranquilo, e não um dia repleto de tantas atividades que não sobre mais nada para dedicar à sua vida pessoal.

Bem, e o que você vai colocar nessa lista? Em primeiro lugar, anote todos os compromissos programados. Isso inclui reuniões com clientes, reuniões internas do escritório ou encontros pessoais, seja com o seu médico, dentista, cônjuge ou filho. Em seguida, passe à prospecção, de acordo com as sugestões apresentadas anteriormente. Mesmo durante as fases de pico nos negócios, você deve dedicar pelo menos 5% do seu dia (de vinte a 25 minutos) para prospecção. Isso inclui entrar em contato com novas pessoas por telefone, correio e e-mail, e solicitar indicações aos clientes atuais.

Em seguida, recomendo fortemente que você anote uma atividade relacionada à aquisição de conhecimento. Aprofunde o seu conhecimento do produto. Leia as mais recentes notícias do setor. Analise as tendências atuais, tendo as necessidades dos seus clientes em mente. Você pode se surpreender com o que descobrir. E se encontrar uma ideia que faça com que a maioria dos seus clientes feche até 3% a mais de negócios com você? Como isso impactaria seus resultados pessoais?

Certifique-se de incluir algum tipo de atividade diária que beneficie a sua saúde física. Se você pretende jogar para ganhar, seu corpo precisa estar saudável. Por que trabalhar duro para ter uma renda incrível se a saúde ruim o impedirá de apreciá-la?

Estas ideias devem estimulá-lo a ter um bom começo. Nos dias em que não tiver reuniões com clientes (espero que sejam raros), tente marcar um café da manhã, um lanche ou um almoço com alguém em sua empresa que esteja se saindo melhor do que você e absorva as ideias dessa pessoa. Ou então, invista algum tempo aprendendo novos métodos de prospecção na internet, que estejam funcionando para outras pessoas. Hoje temos mais acesso ao conhecimento, literalmente na ponta de nossos dedos, do que em qualquer outro momento da história.

## RESUMO

- Você já aprendeu a reconhecer as diferentes fases do ciclo de negócios e já identificou onde o seu negócio se encontra.
- Você sabe quais medidas tomar imediatamente quando más notícias são divulgadas sobre o seu setor.
- Você aprendeu a ampliar o seu foco, e, assim, sua produtividade, com um planejamento adequado.

# 4. Voltando ao básico: por onde começar

*Para ter sucesso, você deve* saber *o que está fazendo,* gostar *do que está fazendo e* acreditar *no que está fazendo.*

WILL ROGERS

Adoro essa citação de Will Rogers. É de uma simplicidade cativante, como muitas de suas frases. Ela se aplica a qualquer coisa na vida que seja importante para nós. Mas, por enquanto, vamos aplicá-la à sua carreira de vendedor.

Você sabe exatamente o que faz? O que você faz é atender às necessidades dos outros. Isso pode soar ridiculamente básico, mas diante de tempos de crise, é hora de afiar suas habilidades. Se tem dúvidas, pense no que acontece a todos os atletas profissionais nos Estados Unidos. Antes de enfrentar novas disputas com os times oponentes, eles atualizam suas habilidades. Temos treinamentos de primavera para jogadores de beisebol, treinos pré-temporada para equipes de futebol americano da NFL e campos de treino para jogadores de futebol americano universitário. Até mesmo os atletas profissionais se beneficiam do treinamento continuado — voltando ao básico antes de cada temporada. O grande treinador de futebol Vince Lombardi, já falecido, começava cada temporada com uma frase simples: "Rapazes, esta é uma bola de futebol." Ele, então, os conduzia através dos conceitos mais básicos do jogo. Por quê? Porque isso funcionava!

Mesmo que entenda que seu trabalho é atender às necessidades dos outros, talvez haja um gerente de vendas ou um superior seu que não consiga ver as coisas dessa maneira. Ele pode lhe dizer que o seu trabalho é fazer o produto circular. E, sim, ele está certo, mas você só faz o produto circular para as pessoas e as empresas que realmente podem se beneficiar dele, servindo, assim, às suas necessidades.

Fazer qualquer coisa no sentido contrário não seria favorável ao seu sucesso, mas ao sacrifício de sua carreira. Você não teria clientes felizes. Você não receberia indicações para outros negócios e, provavelmente, sua empresa logo o ajudaria a fazer um reposicionamento profissional — para outra empresa. Portanto, fazer o produto circular até as pessoas certas é o segredo.

Agora, deixe-me fazer esta pergunta: "Você gosta do que faz?" Se você tem medo de sair da cama a cada manhã, arruma desculpas como excesso de trabalho para evitar se encontrar com clientes potenciais e alimenta uma fobia mórbida de rejeição, você só pode estar na área errada. Ou, se me for concedido o benefício da dúvida, talvez ainda não tenha sido correta e completamente treinado em vendas para perceber a alegria e a satisfação envolvidas nessa atividade.

Foi a isso que dediquei minha vida: ajudar profissionais como você a aprender a fazer bem este trabalho — o trabalho de ajudar as pessoas a adquirir produtos e serviços que atendam às suas necessidades. Se continuar não gostando do que faz depois de tentar as estratégias que abordamos neste livro, siga em frente e escolha outra carreira.

Em seguida, você precisa conseguir dizer, sem hesitações, que acredita no seu produto. Trabalhar nessa área particular é o que alguns chamariam de "ter tudo a ver com você"?

Pessoas que amam trabalhar com computadores, por exemplo, costumam ser ótimos vendedores de hardware e software para computadores; as mulheres tendem a se sair melhor do que os homens em vendas de cosméticos para outras mulheres; pessoas que estão em forma, preocupadas com a saúde pessoal, são melhores vendedores de academias de ginástica do que aquelas que não estão tão em forma.

Por que você escolheu o seu produto ou serviço? Ou será que ele escolheu você? Parte da razão pela qual tais pessoas são boas no que fazem é usufruírem dos benefícios de seus próprios produtos. Ou, pelo menos, serem fascinadas por tais setores. É possível identificar a empolgação em seus olhos quando elas têm a oportunidade de falar sobre sua área de atuação. Era assim que me sentia a respeito do setor imobiliário, embora não possuísse nenhum imóvel quando dei início às minhas atividades.

No início de minha carreira de vendedor, escolhi a área de vendas de imóveis residenciais. Nessa profissão, havia poucos homens com idade inferior a 30 anos, e as mulheres eram ainda mais raras. Na década de 1960, o ramo imobiliário era considerado um campo para homens maduros. Afinal, tratava-se de empresas de construção e investimentos e, naqueles dias, os homens eram, normalmente, as forças motoras naquelas áreas.

Considerando-se que era muito jovem quando entrei neste ramo, alguns poucos clientes potenciais, de fato, me perguntavam, ao chegar ao escritório, onde estava meu pai. Tenho certeza de que eles pensavam: "O que este garoto poderia saber sobre assuntos financeiros relacionados a empresas de construção e à corretagem de imóveis?"

Se você for relativamente jovem em comparação com as outras pessoas em seu ramo de atividade, reforce a sua imagem. Se for casado, mantenha uma foto sua e de seu cônjuge no escritório. Será ainda melhor se tiver filhos, pois, assim, também poderá mostrar seus rostos sorridentes.

Quaisquer prêmios ou diplomas também devem estar bem visíveis. Os clientes não necessariamente lerão os detalhes, mas ver que você os possui (coisas reais — e não falsas) reforçará a confiança em suas habilidades.

O que chamamos de fotos vaidosas, de você com pessoas famosas ou, pelo menos, com os líderes de sua empresa, também são uma boa opção.

Com o passar do tempo, tendo aprendido a maneira correta de vender, me saí muito bem, porque trabalhei duro para entender o que as pessoas precisavam saber quando tomavam a decisão de comprar uma casa. Adorava ajudá-las a realizar seus sonhos de ter sua casa própria e construir memórias para suas famílias.

Algumas das mulheres com quem trabalhei na época se tornaram muito produtivas, porque elas próprias eram donas de casa. Elas se informavam sobre os detalhes da obra para satisfazer seus clientes do sexo masculino, mas também conseguiam falar emotivamente para as esposas e as famílias jovens sobre aquilo que transforma a casa em um lar. Afinal, é o que todos nós realmente queremos, não é? Um lugar ao qual retornar que seja acolhedor e hospitaleiro? Um lugar onde nos sentimos seguros e protegidos?

Pense nisso: você consegue se lembrar com precisão dos detalhes da casa da qual você guarda as mais queridas memórias? Claro, você consegue se lembrar de uma grande janela ou de uma varanda enorme, não por causa da construção em si, mas pelo que aconteceu lá... observando a neve caindo, vivenciando o seu primeiro beijo.

Vender é um mercado de emoções. As pessoas querem acreditar que tomam decisões de forma racional e lógica — mas, na realidade, elas tomam decisões, em primeiro lugar, de forma emocional. Em seguida, defendem tais decisões com a lógica. Elas racionalizam. Isso é verdade, seja o seu produto uma peça para fabricação de equipamentos, um seguro de vida, roupas ou uma sobremesa em um restaurante.

As conversas que as pessoas têm consigo mesmas poderiam ser descritas desta forma:

*Emocional*: Quero me apresentar bem na próxima reunião corporativa... profissional, bem-sucedido, confiante.

*Racional*: Preciso de um terno novo para isso. Preciso conseguir algo que se encaixe no meu orçamento.

*Emocional*: Oh, olhe só este! O tecido é muito bom. Vou experimentá-lo, embora custe mais do que eu possa gastar.

*Racional*: Vou experimentar este mais barato também.

*Emocional*: Realmente, prefiro o terno mais caro. Não há nenhuma dúvida de que pareço e me sinto muito melhor com ele.

*Racional*: E este tecido de qualidade provavelmente cairá melhor do que o terno mais barato. E vai durar mais tempo. Vou levar este aqui.

Você pode não acreditar, mas o mesmo tipo de conversa racional/emocional passa pela mente dos executivos corporativos que tomam decisões sobre a construção de novas fábricas. Emocionalmente, eles querem se apresentar bem diante dos olhos dos acionistas, do conselho ou de qualquer outra coisa. Melhorar a produção e economizar os gastos da empresa fazem parte de sua racionalização.

## QUANTAS ETAPAS VOCÊ SEGUE QUANDO ESTÁ VENDENDO?

Quando a economia está crescendo, é provável que os clientes implorem pelo seu produto. Eles querem o produto. Vocês dois sabem disso, e talvez você escolha alguns atalhos de um ciclo profissional de vendas para executar a tarefa e passar rapidamente para o próximo cliente. Em tempos assim, a maioria dos clientes concorda com isso.

Em setores como o financeiro ou bancário, ser o rei ou a rainha dos atalhos provavelmente fará com que os outros o vejam como um oportunista, e não como uma pessoa focada na carreira e nos serviços. Portanto, você deve fazer o que for mais apropriado para cada cliente. Tudo está relacionado com o que o cliente precisa!

Quando os tempos são fracos, você precisa estar pronto para seguir todas as etapas do ciclo de vendas na ordem correta, e esperar que seus clientes se mostrem mais hesitantes antes de tomar decisões de compra. Eles podem querer e precisar do seu produto, mas estar com medo de assumir qualquer tipo de compromisso financeiro ou a longo prazo. Você os tranquiliza sobre a decisão gastando tempo com eles, ajudando-os a se sentir confortáveis com a ideia de possuir o produto, abordando todos os aspectos e resumindo os benefícios dos quais desfrutarão.

Em tempos difíceis, pode ser necessário investir mais tempo construindo um relacionamento antes que as pessoas consigam desabafar, revelar suas necessidades e fornecer as informações das quais você precisa para qualificá-las. Ou talvez seja preciso aperfeiçoar suas habilidades para redirecionar os clientes a um produto mais econômico, caso eles não se qualifiquem para o produto no qual estavam originalmente interessados. Às vezes, os clientes podem levar mais tempo para selar o compromisso final, e, portanto, suas habilidades para fechar uma venda precisam estar afiadas. Você precisa saber como trabalhar com a protelação, a indecisão e o medo dos compradores.

Tudo somado, é necessário saber como usar eficazmente todas as sete etapas de um adequado ciclo de vendas para ter sucesso nesse negócio — não importa o que esteja acontecendo na economia ou no seu setor. As sete etapas são:

Prospecção, Contato Inicial, Qualificação, Demonstração, Cuidar das Preocupações, Fechar a Venda e Obter Indicações de Qualidade (também conhecido como Recomendações). Abordei cada uma dessas etapas detalhadamente no livro *Como ser um grande vendedor*. Neste livro, abordaremos apenas os aspectos mais comumente impactados por tempos de crise.

## POR QUE ALGUÉM DEVERIA COMPRAR COM VOCÊ?

Vamos passar para a coisa mais importante, que é o motivo pelo qual alguém compraria com você — não importando o ramo de negócios no qual você se encontra. Mesmo que você seja bom em deixá-los emocionalmente envolvidos com sua oferta e apresente excelentes ponderações para racionalizar a compra, por que eles deveriam investir em você, e não em alguém com um produto similar? O que o faz ser diferente?

Para ser bem-sucedido no ramo de vendas, o mais importante é ajudar as pessoas a aprender a gostar, confiar e querer ouvir você. Essa é a base de todo o meu treinamento de vendas.

Mesmo que você tenha os maiores trunfos do planeta pelo investimento mais econômico do qual já se ouviu falar, se eles não gostarem e não confiarem em você, não o ouvirão. Se não o ouvirem, não vão comprar.

## O QUE FAZ AS PESSOAS GOSTAREM DE VOCÊ?

A melhor fonte para responder esta pergunta é o livro de Dale Carnegie, *Como fazer amigos e influenciar pessoas*. Esse livro e os cursos desenvolvidos a partir dele tiveram um forte impacto sobre milhões de pessoas desde sua primeira publicação, em 1936. Ele ainda pode ser adquirido hoje, e recomendo fortemente que você o leia, caso ainda não o tenha feito.

Fundamentalmente, a mensagem de Dale Carnegie diz respeito à comunicação eficaz, fazendo com que os outros se sintam importantes. O colega, autor e palestrante John Maxwell diz: *"As pessoas não se importam sobre o quanto você sabe até saberem o quanto você se importa."*

Em grande parte, o cuidado e a preocupação em relação às necessidades de seus clientes são expressos através da comunicação não verbal. Trata-se de ser firme ao dar um aperto de mão. Trata-se do contato visual estabelecido com os clientes. Lembre-se, os olhos são as janelas da alma. Se você não for sincero sobre seu desejo de servir ou sobre sua crença em seu produto, isso transparecerá.

É importante gastar alguns segundos para esvaziar sua mente de qualquer outra coisa antes de encontrar-se com um cliente. Ele nunca deve ser capaz de dizer, pelo seu comportamento, que você tem dez mensagens de voz para responder, um filho para pegar na escola e uma reunião esta noite com seu conselheiro financeiro para avaliar como sua carteira de investimentos está caminhando. Focar apenas nesse cliente e em suas necessidades permitirá que você leia nas entrelinhas e se dirija a ele apropriadamente... todas as coisas que o façam parecer mais agradável aos seus olhos. De modo ainda mais claro, você está lhe dando toda a sua atenção.

Outra coisa a considerar é a sua postura. Você anda prostrado ou com elegância? De forma lenta ou energicamente? Como transporta seus pertences — eles ficam empilhados embaixo de seus braços ou organizados em uma pasta? As pessoas elegantes, que andam energicamente e são bem organizadas, são percebidas como sendo competentes e bem-sucedidas. Curiosamente, elas normalmente são. Se você quiser saber qual a sua imagem aos olhos dos outros, peça aleatoriamente a um colega, amigo ou familiar que seja descaradamente honesto. Pergunte-lhes se você parece competente e confiante. Esteja aberto aos seus conselhos e considere fazer algumas alterações, caso necessário.

Você sorri quando encontra as pessoas? Isto pode lembrar ligeiramente um jardim de infância, mas a verdade é que mais pessoas gostarão de você se você estiver sorrindo do que se as cumprimentar com qualquer outra expressão. Por algumas semanas, desenvolva o hábito de procurar espelhos onde quer que vá. Ao olhar para si mesmo nesses espelhos, preste atenção ao que você vê. É alguém aparentemente feliz ou alguém que está preocupado e com pressa? Não fique obcecado com isso, basta prestar atenção e fazer algumas mudanças conscientes quando perceber que elas são necessárias.

Outro aspecto relativo a ser estimado é a amabilidade geral. Pense em como se comporta quando está relaxado, cercado de bons amigos. Você os chama pelo nome. Tenta fazê-los sorrir e se sentirem confortáveis quando estão com você.

Recomendo fortemente que use os nomes de seus clientes nas conversas. Já que um de nossos primeiros objetivos é levá-los a gostar de nós, precisamos nos comportar como se estivéssemos com amigos (mas não de forma muito casual).

## COMO VOCÊ CONSTRÓI CONFIANÇA?

No início de qualquer novo relacionamento com um cliente, ele não estará propenso a confiar em você. Espere por isso. Você pode ser uma das pessoas mais confiáveis do planeta. Seus amigos, os sócios nos empreendimentos e os seus amados podem confiar tanto em você que, literalmente, colocariam as vidas deles em suas mãos, mas as pessoas novas que lhe estiverem conhecendo em uma situação de vendas não sabem disso. Em muitos casos, a primeira vez que os clientes potenciais ouvem o seu nome é quando você, um completo estranho, os aborda para, segundo a sua percepção, retirar algo deles. Eles não percebem um vendedor como alguém que quer oferecer, mas, sim, tirar alguma coisa — seu dinheiro e seu tempo, coisas pelas quais a maioria das pessoas tem mais apreço.

Antes de esperar que alguém preste alguma atenção ao que você tem a oferecer, é preciso construir a confiança em você, na sua empresa, na sua marca ou, até mesmo, no seu setor. Uma das melhores maneiras de dar início a este processo é algo chamado declaração de intenções. Esta prática foi desenvolvida com Pat Leiby. Ele e eu somos os coautores de *Sell It Today, Sell It Now — Mastering the Art of One Call Close.* Pat treina principalmente no setor de bens compartilhados, no qual, na maioria das vezes, há apenas uma chance de construir a necessária confiança com um cliente potencial e fechar uma venda. A declaração de intenções é uma forma muito poderosa, porém simples, de dar início a uma base de confiança.

A declaração de intenções é como uma agenda verbal. Geralmente, começa assim: "O propósito de nosso tempo juntos agora é...", ou "John e Mary, se não se importam, deixe-me explicar como funciona normalmente este tipo de demonstração." É o momento em que você anuncia o que vai lhes dizer. Em essência, você está dando ao seu cliente um roteiro do que esperar nos próximos vinte, sessenta ou noventa minutos, em vez de perguntar se pode conduzi-los, com os olhos vendados, por um labirinto.

Então, à medida que você faz apenas o que disse que faria, eles começam a confiar em você. Eles confiarão em sua palavra. Podem até começar a confiar nas informações que você está transmitindo.

Para tornar a declaração de intenções ainda mais poderosa, inclua a opção da recusa do cliente. Isso é algo que ele quer e, talvez, tenha até mesmo decidido, de qualquer maneira, antes desse encontro. Dizer isso em voz alta faz milagres para dissolver a argamassa que está sustentando a parede de resistência, comum em todas as situações de venda.

Em alguns casos, a opção de dizer não também funcionará para chamar a atenção do cliente para o que você está dizendo. É como se estivesse afastando o produto ou serviço, antes mesmo que o cliente tivesse a oportunidade de ser informado sobre ele. Essa pequena estratégia é eficaz tanto para deixar as pessoas à vontade quanto para aumentar a curiosidade para saber mais.

Eis aqui um exemplo de uma declaração de intenções eficaz:

> Sr. Combs, agradeço o tempo que compartilharemos hoje. Antes de começar a discutir suas necessidades específicas, deixe-me falar apenas sobre alguns pontos. Nosso objetivo neste encontro é aprender um pouco mais um sobre o outro, a fim de determinar se a Tomco tem um produto que atenderá às necessidades de sua empresa.
>
> Gostaria de começar por familiarizá-lo com a nossa empresa, nosso histórico e nossa filosofia de negócios. Então, vamos rever as suas necessidades específicas para que não percamos tempo falando de algo sem qualquer relevância. Depois disso, se ambos considerarmos adequado, examinaremos os produtos e serviços específicos pelos quais possa ter interesse.
>
> Bem, Sr. Combs, sou vendedor e meu trabalho é ajudar empresas como a sua a escolher nossos produtos e serviços, caso eles sejam convenientes. No entanto, não acredito no uso de pressão de qualquer espécie. Minha experiência tem provado que nossos produtos não são exatamente adequados para todos. Eles podem ou não ser perfeitos para você. Mas só você pode tomar essa decisão. Tudo que peço é que mantenha a mente aberta e, ao fim do nosso encontro, me diga honestamente se acha que nossos produtos irão atender às suas necessidades. Isso parece bastante justo, não é?

Essa declaração de intenções demora cerca de um minuto para ser feita — com sinceridade. Use as minhas palavras ou redija as suas próprias, mas use as declarações de intenções logo no início de seu próximo contato (e em todos os contatos daqui por diante) e, em breve, você se descobrirá trabalhando de forma não tão árdua para reduzir a resistência às vendas.

## QUANDO FINALMENTE PERCEBE QUE ELES ESTÃO OUVINDO, O QUE VOCÊ DIZ?

Você começa construindo credibilidade. Já mencionei que as pessoas não apenas compram o seu produto ou serviço. Elas também compram você. Na verdade, elas têm de comprar você primeiro. Elas têm de acreditar que você é uma pessoa consistente. Afinal, muitas vezes será o preposto da empresa para fornecer qualquer serviço de acompanhamento que o cliente possa precisar no pós-venda. Se ele não gostar de você agora, por que ele consideraria estabelecer um relacionamento de longo prazo?

Em seguida, é o momento de compartilhar algumas histórias, cartas ou informações sobre alguns de seus clientes mais satisfeitos. Elas devem falar sobre você e sobre o produto. Esta é uma maneira gentil de chamar a atenção para você, sem parecer que está se vangloriando. Você não é o único a repetir o quanto é ótimo... seus clientes felizes também fazem isso.

Fale sobre a história da sua empresa, porque sua marca é tão adorada por seus clientes e o número de pessoas atendidas. Todos esses dados constroem credibilidade. Transmiti-los de forma profissional também constrói, nas mentes dos clientes, uma imagem sua como um profissional extremamente competente.

É muito importante os novos clientes potenciais ouvirem sua declaração de orgulho em representar sua empresa. Isso inspira confiança e lhes informa que você pretende estar à disposição a longo prazo.

Veja como pode fazer isso: *"John, eu poderia ter ido trabalhar em qualquer uma das cinco distribuidoras locais de aplicativos. Escolhi a minha empresa por causa da qualidade do produto e do compromisso que ela tem de defendê-lo. Pesquisando esta área, cheguei à conclusão de que ela era a melhor, e tenho orgulho de representá-la."*

Com essa declaração, você também acabou de plantar uma semente de que a concorrência pode não ser tão boa, sem dizer nada diretamente negativo sobre ela. Nunca, nunca, nunca fale mal dos concorrentes. Os vendedores que acham que precisam depreciar alguém a fim de elogiar a si mesmos ou às suas empresas nunca serão verdadeiramente bem-sucedidos, mesmo no melhor dos tempos.

## CHEGOU A HORA DE FAZÊ-LOS FALAR

Chega de informações a seu respeito. O próximo passo é fazer com que seus clientes falem sobre si mesmos e suas necessidades, para que ambos possam, espera-se, chegar à conclusão de que esta é uma situação de ganhar-ou-ganhar. Essa tende a ser a área mais fraca na maioria dos vendedores que me procuram para treinamento. Eles, simplesmente, não sabem como fazer seus clientes potenciais falarem — comunicar o suficiente sobre seus desejos e necessidades, para que o vendedor apresente a combinação correta de produtos e opções quando chegar a hora.

Relembre nossa discussão sobre como as pessoas compram com base nas emoções, para, em seguida, defender suas decisões com a lógica. Muitos vendedores colocam demasiada ênfase na especificação de seus produtos e esperam que os clientes "falem sobre as especificações", quando a maioria dos clientes (a menos que você esteja em um campo científico ou no ramo da fabricação) está mais interessada nos benefícios do produto, que são emocionais. Para ser bem-sucedido na comunicação com os clientes, você precisa falar ambas as línguas e conseguir fazer a tradução mentalmente.

Não precisa, necessariamente, se tornar bilíngue, no sentido de ter de pensar e falar de forma eficaz em, digamos, inglês e chinês, apesar de não ser uma má ideia. A dupla língua à qual estou me referindo aqui é a do seu cliente e a de sua empresa ou setor.

Cada setor tem um jargão próprio. É muito importante que você o conheça bem. No entanto, ele deve ser usado dentro daquele setor. Se os seus clientes não pertencerem a sua área, mas usarem o seu tipo de produto, eles não serão tão fluentes quanto você. Eles terão o seu próprio jargão. E, se você fizer negócio com um certo tipo de cliente — médicos, por exemplo —, seria prudente aprender alguma coisa do jargão deles. É possível fazer isso simplesmente folheando uma revista do setor, a seção de descobertas da Medicina de uma revista de notícias ou um site de alguma associação. Normalmente, tais fontes estão repletas de informações tópicas que podem ser usadas em uma conversa inicial. Seus clientes reconhecerão seu gasto de tempo para conhecê-los um pouco melhor e isso ajudará a construir a confiança em você.

A principal maneira de fazer as pessoas falarem é fazer-lhes perguntas. E não apenas quaisquer perguntas, mas perguntas cujo objetivo seja coletar informações. Alguns clientes podem considerá-las muito impertinentes, se tocarem em pontos com os quais eles não se sintam confortáveis. Se alguma das informações que você precisa coletar correr o risco de cair na categoria "pessoal" ou "financeira", é prudente começar a fazer as perguntas com esta frase: *"Não quero ser intrometido, Sra. Mather, mas há alguns detalhes sobre seu histórico médico que precisarei saber para fazer um bom trabalho hoje."* Percebe o que fez? Você lhe disse que sabe que as questões pessoais podem fazê-la se sentir desconfortável ao falar, mas ela deveria fazê-lo em seu próprio benefício. Isso demonstra sensibilidade de sua parte e diminui consideravelmente o desconforto da cliente.

## RESUMA, RESUMA

Depois de determinar as necessidades de um cliente e se sentir satisfeito, você precisa ter certeza de que ele está feliz por já ter lhe dito tudo. Pode-se fazer isso resumindo as necessidades. "Sr. & Sra. Patterson, deixe-me ter certeza de que tenho uma imagem clara da sua situação atual. Vocês me disseram que..."

À medida que reafirmar cada ponto abordado (especialmente aqueles que "apontam" para o seu produto como uma boa alternativa), observe as reações do cliente. Se sentir alguma incoerência entre o que você está dizendo e o que ele pode ter afirmado, peça esclarecimentos sobre aquele ponto. "Eu não estou 100% certo de que estou expressando isso corretamente. Pode me ajudar a esclarecer este ponto?"

Depois de repassar essa lista de necessidades, uma imagem mental da solução ideal começará a se formar na mente do cliente. Se você já jogou o Pictionary, é a mesma ideia. Você tem uma imagem clara da melhor resposta, mas, agora, precisa ajudá-los a vislumbrar a mesma imagem em suas próprias mentes. Seu objetivo é descrever essa solução com o máximo de detalhes através das informações do produto na etapa de demonstração, de modo que eles cheguem à mesma conclusão que você.

Você fará um novo resumo depois de sua demonstração e antes de perguntar qual é a decisão. Esse é um componente fundamental nas vendas. Dessa vez, o seu resumo mostrará o panorama de todos os benefícios que eles terão (que satisfaçam as necessidades indicadas em sua primeira síntese.)

Visualize o resumo como o *grand finale* de uma apresentação de fogos de artifício. Você já observou alguns fogos de artifício isolados ou em pequenas demonstrações, mas quando os observa todos juntos no fim, é uma imagem verdadeiramente grandiosa, que deixa uma impressão maravilhosa e duradoura. Esse é o propósito de fazer um resumo após a demonstração.

Desde o "Bom dia, Sr. Jackson", você está construindo o seu *grand finale* de benefícios que se encaixam às necessidades dele. Dê a atenção e os detalhes necessários para ajudar o Sr. Jackson a sair de cima do muro e colocar-se em uma posição de comprador.

Se vem seguindo todos esses passos, em bons e maus mercados, melhor para você. Se perceber que tem se esquecido de algo que abordamos aqui, comece a trabalhá-lo novamente em suas demonstrações.

## QUANDO VOCÊ ACHA QUE ELES ESTÃO PRONTOS PARA SEGUIR EM FRENTE

Depois de assegurar-se que o cliente está pronto para seguir em frente com a aquisição, o que você faz? Vendedores medíocres logo perguntam se podem emitir a ordem de compra. Em muitos casos, é o movimento correto, mas, em outros, não. Se você fizer um movimento errado nessa fase do processo de vendas será difícil se recuperar — reconduzir as emoções do cliente a um nível onde ele esteja prestes a tomar uma decisão.

Em vez de se perguntar se você está fazendo a coisa certa, é prudente verificar em que estágio o cliente está depois de tudo o que ouviu. Uma das estratégias com maior probabilidade de ser esquecida, tanto por vendedores novatos quanto veteranos, é o fechamento experimental ou de teste. Ela costuma ser usada antes de se solicitar a decisão final. É uma pergunta que permite avaliar os sentimentos do cliente sobre o produto, antes de partir para a venda. Isso ajuda a evitar a situação desconfortável na qual você faz a pergunta e o cliente responde adicionando um novo dado, interrompendo, portanto, a sua dinâmica. A pergunta de teste pode ser tão simples quanto esta: *"John, como você está se sentindo sobre tudo isso até agora?"* Então, você espera a resposta. Isso cria uma oportunidade maravilhosa para parar de falar, tomar um fôlego e verificar se fez o trabalho que imagina ter feito.

Se a resposta de John for positiva, é hora de emitir a ordem de compra. Se houver qualquer hesitação, talvez seja necessário pedir-lhe que descreva como está se sentindo. Isso ajuda a aliviar a tensão e, provavelmente, abrirá um novo caminho para que você continue o processo de vendas e tente um segundo fechamento.

Algumas pessoas ficarão tão envolvidas com o que você está dizendo que acabarão concordando com quase todos os pontos que lhe são apresentados. Então, elas começam a sentir o impulso para tomar uma decisão e perdem a coragem. Tudo está acontecendo muito rápido. Elas precisam diminuir o ritmo. Esteja preparado para lidar com isso com destreza e elegância. Perguntar como elas se sentem ou se compreendem por que os seus clientes atuais se entusiasmaram com a sua oferta é uma ótima maneira de medir sua tendência a comprar.

As estratégias que abordamos aqui devem ajudá-lo a levar mais clientes até o ponto de fechamento de uma venda. Falaremos mais sobre fechamentos específicos que funcionam bem em tempos difíceis no capítulo 10.

## RESUMO

- Você entende que vender é servir.
- Você sempre considerará o lado emocional da venda, assim como o lado racional.
- Você trabalhará para que as pessoas gostem de você.
- Você percebe que escolher atalhos no processo de vendas não é o ideal.

- Você está desenvolvendo e incorporando declarações de intenções em todas as suas demonstrações.
- Você sabe o que perguntar para qualificar mais eficazmente os clientes.
- Você nunca mais fará uma demonstração sem resumir tanto as necessidades do cliente quanto os benefícios do seu produto.
- Você entende a importância do uso dos fechamentos experimentais ou de teste antes de partir para a venda.

# 5. Comece preservando os negócios já conquistados

A fidelização de sua base de clientes é fundamental para o sucesso permanente. Um dos maiores benefícios de ter clientes fiéis é que você ganha uma espécie de renda extra. É preciso manter contato, mas não é necessário trabalhar tão arduamente para continuar vendendo para eles como foi feito na *primeira* venda. A base para a construção da fidelidade inclui os produtos certos para cada cliente, serviço excelente e um bom acompanhamento. Uma variedade de estratégias para manter contato com os clientes e conseguir novos negócios com eles será abordada neste capítulo.

*Quem procura fidelidade de seus superiores deve ser fiel aos seus inferiores.*

DONALD T. REGAN

Esta citação foi originalmente concebida para líderes empresariais e políticos, mas penso que ela se aplica muito bem às vendas. Em vez de se mover para baixo e para cima, a fidelidade em vendas é conquistada quando se é fiel e quando se oferece um excelente serviço. Em tempos desafiadores, isso significa proporcionar aos clientes o mesmo nível de serviço que você sempre ofereceu, mesmo que seu volume de negócios em dólares tenha diminuído. Significa entrar em contato com eles ao perceber uma mudança em sua margem de negócios, a fim de ajudá-los a encontrar maneiras de aumentar essa margem. Inclua-se aí atender às suas ligações — sempre —, mesmo quando se tem certeza de que eles estão ligando com um problema ou com a intenção de cancelar suas contas, porque estão enfrentando tempos de crise e sentem-se obrigados a fazer cortes.

Se você tiver fornecido um nível excepcional de serviço aos clientes, há um maravilhoso benefício secundário. Durante tempos difíceis, provavelmente você estará mais bem posicionado na lista de serviços que seus clientes pretendem reduzir ou eliminar do que outra empresa que não tenha proporcionado o mesmo extraordinário nível de serviço. Para eles, será mais difícil cortar algo de que realmente gostam e valorizam.

Seu objetivo com os clientes não é apenas manter sua margem de negócios a longo prazo, mas criar cenários onde eles possam comprar ainda mais produtos. Manter um bom relacionamento com o cliente equivale a ganhar mais dinheiro. Você não precisa trabalhar tão arduamente como faria para ganhar um novo cliente. Isso não significa que possa ignorá-los, confiando que eles não procurarão outros fornecedores. Nada no mundo tem esse grau de certeza.

O segredo para relacionamentos saudáveis tanto na vida pessoal quanto nos negócios é dar a atenção da qual os clientes precisam e merecem receber. Se você tiver filhos, espero que já tenha aprendido que as crianças normalmente soletram a palavra *amor* assim: T-E-M-P-O. Elas podem ouvir você dizer "eu te amo" o dia todo, mas sabem que você as ama realmente quando passa algum tempo com elas. Elas sentem esse amor quando o veem na plateia em suas apresentações na escola, quando está na arquibancada em seus eventos esportivos e quando as leva às compras ou para almoçar, em vez de lhes dar algum dinheiro e as encaminhar para sua jornada diária.

As crianças não se importam com quanto dinheiro você ganha ou que tipo de carro dirige (até que se tornem adolescentes e queiram pegá-lo emprestado). O tempo compartilhado proporciona uma sensação de segurança acerca da relação. É uma questão de saber que, se o resto do mundo resolver traí-las, sempre haverá alguém a quem recorrer — alguém que estará sempre por perto.

Se, para você, for realmente impossível estar fisicamente presente, o melhor a fazer depois disso é dar um telefonema. O seu cuidado e sua preocupação serão facilmente percebidos no tom de sua voz. No mínimo, envie e-mails (especialmente aqueles com imagens) e cartões "só porque" são maneiras divertidas de se manter em contato.

Pegue os parágrafos anteriores e substitua a imagem de seus filhos pela de seus clientes. E, talvez, mude *amor* por *se preocupar*. As apresentações nas quais você estará presente podem ser eventos esportivos locais, um almoço na Câmara de Comércio ou a inauguração da empresa de um cliente. O ponto é que seus clientes perceberão que você se importou o suficiente para fazê-los chegar onde estão.

Evidentemente, você não precisa levar isso ao limite da perseguição, mas frequentar os mesmos círculos dos seus clientes o coloca no nível deles, construindo confiança e fidelidade. Eles sabem que você os entende — que compreende ou, pelo menos, investe muito tempo tentando entender o mundo deles.

Quando se trata de fazer chamadas telefônicas para os clientes, é melhor que elas estejam programadas. Qual será o melhor momento para agendar seu próximo telefonema? Ao fim de cada telefonema. Talvez seja fácil assim: *"Barb, obrigado por me permitir este tempo para me inteirar sobre como estão indo as coisas em sua empresa. Adoraria entrar em contato novamente dentro de um mês. Posso ligar no dia 20, neste mesmo horário, ou você prefere falar no fim do dia?"*

O intervalo entre os telefonemas depende do tipo de negócio que você faz. Se Barb lhe envia pedidos semanalmente, provavelmente será mais prudente inteirar-se das mudanças na empresa dela em uma base mensal ou, pelo menos, a cada seis semanas. Se a empresa costuma fazer pedidos mensalmente, um telefonema depois de sessenta ou noventa dias pode ser razoável. A ideia é manter um contato suficientemente próximo para que você não seja pego de surpresa pelas mudanças drásticas no mundo dos negócios de Barb, ou por vê-la roubada por um concorrente que lhe ofereça a atenção que ela deseja (além de um investimento competitivo para o produto).

*Observação*: Antes de pedir para agendar seu próximo telefonema, sempre pergunte: *"Existe algo que eu possa fazer por você hoje?"* Isso deve estar muito incorporado ao seu subconsciente, a ponto de você se surpreender perguntando a mesma coisa aos seus filhos antes de enviá-los para a cama à noite e antes de se despedir do seu cônjuge a cada manhã. Na maioria dos casos, os clientes não terão qualquer outra coisa em suas mentes, mas eles vão captar a mensagem de que você não se distanciará até que todas as questões tenham sido atendidas.

Se os seus clientes fazem pedidos diretamente a você, seja pessoalmente ou por telefone, a cada vez que encomendarem algo, faça algumas perguntas rápidas sobre como eles estão se saindo durante os atuais desafios econômicos ou de seu setor. Se a empresa estiver inscrita em um sistema de pedidos automáticos ou tiver acesso on-line aos pedidos, os telefonemas programados são ainda mais importantes. Embora possa ser uma enorme conveniência as pessoas fazerem suas encomendas on-line ou criarem um método de autoenvio, elas são pessoas e precisam de contato humano de alguma espécie, para saber se os seus negócios estão sendo apreciados.

O contato que vai além daquele relacionado a pedidos é importante. Como exemplo, recomendo fortemente o envio de cartões de Ação de Graças aos clientes, mas se esta for a única vez que você entra em contato com eles durante o ano, talvez eles não estejam mais na sua lista de clientes no ano que vem. Estarão na lista de alguma outra pessoa.

Meu parceiro de negócios, o guru de marketing Dan Kennedy, diz o seguinte sobre permanecer em contato:

> Não acredito em economia deficitária, tanto ou quanto acredito em mau acompanhamento. No ano passado, não fui procurado pelo vendedor ou revendedor com quem comprei o meu automóvel mais recente, pelo agente imobiliário com quem adquiri propriedades, pelas lojas de vestuário e seus vendedores em duas cidades diferentes nas quais residi, pelo restaurante em que eu costumava ir frequentemente, mas ao qual já não vou a seis meses. Mas comprei um carro, imóveis, roupas e saí para comer. E posso apostar que vários desses empresários e vendedores, responsáveis por não fazer nenhum acompanhamento ou fazer um acompanhamento ruim, estão se queixando da economia deficitária.

Se seus clientes forem basicamente pessoas físicas, recomendo um mínimo de seis contatos por ano para construir a fidelidade. Abordei um pouco esse tema no capítulo 2, quando falamos sobre o valor de cartões de agradecimento e as várias razões pelas quais você deve enviá-los.

Quando fechar negócio com um novo cliente, é uma ótima ideia descobrir como ele gosta de ser contactado. Muitas pessoas preferem as chamadas telefônicas. Outras preferem e-mail. No entanto, algumas apreciariam uma visita pessoal de vez em quando.

Quando tiver notícias para compartilhar sobre o lançamento ou as características de um novo produto, ou apenas notícias de interesse geral para seus clientes, não envie para todos da mesma maneira. Compartilhe do jeito que eles preferem. Isso pode demorar um pouco mais, pois você não poderá simplesmente disparar um e-mail com todos os seus clientes em cópia oculta, mas valerá a pena atendê-los como eles desejam ser atendidos.

Considere a criação de um documento de uma página sobre a novidade, que pode ser anexada a um e-mail, copiada e incluída em uma carta, fax ou deixada no escritório de um cliente. O documento e as informações permanecem os mesmos. O método de entrega é a única variável.

## O QUE ENVIAR?

A resposta simples para essa pergunta é: *alguma coisa de valor para o cliente*. Alguns exemplos disso seriam informações, conselhos, lembretes, comunicações, cupons ou brindes.

Exemplos:

- Em tempos de crise, os consultores financeiros seriam inteligentes se enviassem conselhos sobre como lidar com o dinheiro nos vários estágios da vida, juntamente a uma oferta para analisar cada situação particular do cliente. Se um novo produto que envolva menos riscos do que o mercado de ações tenha sido lançado, informações sobre isso podem ser incluídas (ou, pelo menos, um folheto que desperte alguma curiosidade deveria ser enviado).

- Os corretores imobiliários podem enviar ofertas gratuitas para avaliações comparativas de mercado, de modo que as pessoas tenham informações atuais e precisas sobre o valor de sua propriedade. Mesmo que a resposta não seja a esperada por eles, a maioria dos clientes apreciará tomar ciência dos fatos.
- Os agentes de seguros podem ser sensatos, ajudando alguns de seus clientes a economizar dinheiro, mesmo que isso signifique diminuir um pouco a cobertura, a fim de manter o contrato de negócio — ou, se estiverem em uma situação de alto risco, aumentando a capacidade de cobertura, para protegê-los de outros que queiram tirar proveito de sua condição.
- Os setores de serviço podem oferecer uma atividade a uma taxa reduzida (ou, mesmo, gratuitamente) quando o cliente tiver solicitado outros três, cinco ou dez serviços.

## QUANDO VOCÊ TEM ALGO NOVO PARA COMPARTILHAR

Se estiver oferecendo um novo produto ou serviço, não comece a telefonar para todos para contar isso. Ao contrário, se for o caso de telefonar, comece perguntando se eles ainda estão satisfeitos com seu produto atual e serviço. Então, diga: *"Como você está satisfeito, valorizamos sua opinião. Se fôssemos oferecer novos serviços, estaria interessado em saber mais?"* Percebe o quanto isso é agradável? Se eles disserem que sim, prossiga com uma pergunta sobre o serviço, em vez de fazer uma afirmação: *"Descobrimos que muitos de nossos clientes não conseguem mudar os filtros de seus fornos com a frequência recomendada pelos fabricantes. O que acharia de um serviço pelo qual você recebe novos filtros entregues em domicílio, justamente na semana em que deveria mudá-los?"* Em essência, você lhes informou sobre o novo serviço, mas não como um vendedor estereotipado. Você perguntou a sua opinião. É uma abordagem muito mais suave e funciona muito bem com os clientes atuais que já estão felizes. Criou uma oportunidade para eles lhe dizerem se gostariam de possuir esse serviço. Se disserem que sim, venda-o! Se não, pergunte que tipo de serviço lhes interessa. Talvez surja uma ideia para uma nova fonte de lucros em sua empresa!

Os encanadores podem se oferecer para verificar todas as torneiras da propriedade enquanto estão em um local para uma chamada de serviço. Se esse for o caso, em primeiro lugar, relaxe. Em seguida, aja. É algo que poucas pessoas pensam em fazer, a menos ou até que apareça um problema. É um simples gesto de sua parte e mostra que você está disposto a ir além.

De que outras formas você pode servir os seus clientes? Recentemente, li sobre uma farmácia de pequeno porte que fazia mais negócios do que a loja de departamentos local. Ela adicionou um serviço simples, que aumentou suas vendas significativamente. Oferecia os mesmos produtos que as grandes redes. Tinha, até, um serviço de *drive-through* para as receitas médicas. A diferença era que o funcionário do guichê podia entrar em contato com os outros funcionários por *walkie-talkie*. Ele perguntava aos clientes que pegavam suas medicações na janela do *drive-through* se precisavam de mais alguma coisa, como aspirina, antigripais, compressas térmicas, ataduras ou outros itens.

Pense nisso. Se você estiver se sentindo tão mal a ponto de o médico lhe receitar um antibiótico ou um analgésico, talvez queira alguns desses outros produtos, mas não esteja disposto a entrar na loja para fazer compras. Quando os clientes mencionam que têm essas outras necessidades, o funcionário é avisado pelo rádio. Ele pega uma cesta pequena e, rapidamente, traz aqueles itens para a área do caixa da farmácia. Tratava-se de uma ideia bastante simples, mas que elevou as receitas da farmácia a um novo patamar. Se o cliente tiver muitos itens para passar pelo guichê, ele simplesmente dá a volta, para na frente da loja e o funcionário o recebe e coloca as bolsas no carro.

Que outras ofertas seus clientes valorizariam, se estivessem à venda ou sendo oferecidas gratuitamente?

## INDO ALÉM COM OS SERVIÇOS

Prepare, ao menos, um banco de dados de serviços de qualidade além dos seus, que possa ser indicado aos seus clientes. Se você for um encanador, tenha o nome e o número de uma boa empresa de revestimento de interiores ou de um bom pintor à mão. Normalmente, os corretores imobiliários são bons na elaboração desse tipo de lista de serviços de trabalhadores manuais, paisagistas, limpadores de piscina e assim por diante, para oferecer a compradores de casas de revenda ou propriedades que precisam ser reformadas.

Todos nós devemos aprender uma lição com o filme *Milagre na Rua 34*. O Papei Noel da Macy's diz a uma criança que eles receberão determinado brinquedo no Natal. Quando a mãe ouve o Papai Noel, ela fica chateada, porque sabe que o brinquedo está esgotado na loja. O Papai Noel responde que o concorrente, a Gimbels, tem o brinquedo. A princípio, os gerentes da Macy's querem despedir o Papai Noel, por ele ter enviado seus clientes para a concorrência, mas quando se dão conta da boa vontade gerada pelo velhinho e percebem o aumento da fidelização de seus consumidores, a história muda. Acha que seus clientes têm necessidades que não pode atender? Se assim for, seja o herói e ajude-os a encontrar um fornecedor de qualidade para tais necessidades.

Se você for autônomo ou trabalhar em uma pequena empresa, deve ser hábil para se movimentar rapidamente e se adaptar às necessidades de seus clientes. Seja criativo, flexível e confiável. Eles o verão como um integrante da equipe deles, e não como um recurso externo.

Se um único setor — o seu — for afetado por algum noticiário negativo, considere enviar, você mesmo, notícias positivas sobre a longevidade da empresa, o seu histórico pessoal de serviços e o seu compromisso de perseverar. Talvez seja bom, até mesmo, incluir algumas estratégias que tenha colocado em prática para garantir um serviço continuado aos seus clientes.

Outra ideia é enviar lembretes de suas atividades. A indústria automotiva e os serviços a ela relacionados fazem isso muito bem. Quem nunca recebeu um cartão ou um lembrete de e-mail sobre as mudanças de combustível, rotações do pneu ou outros serviços semelhantes? O mesmo se aplica aos negócios de aquecimento e refrigeração. Como você poderia aplicar isso à sua empresa?

Se sua companhia estiver se expandindo, aumentando o número de representantes de atendimento ao cliente, deixe seus clientes saberem disso. Apresente as novas pessoas pelo nome (com fotos de seus rostos sorridentes, se for o caso), juntamente com uma linha ou duas sobre a sua experiência ou cargo. Os clientes gostam de saber a quem recorrer e de criar uma imagem mental daqueles com que falam ao telefone.

Brindes como mapas rodoviários atualizados e calendários são comuns na indústria de seguros. Os clientes já esperam por eles. Eles não são apenas úteis, como também poupam os clientes de comprá-los. Pense em algo que seus clientes gostariam de receber de sua parte. Em seguida, planeje quando e como você irá enviar esse brinde. Manter o seu nome em suas mentes de maneira positiva, com uma base regular programada, é um longo passo a caminho da fidelização, que, por sua vez, gera indicações para novos negócios.

Falando de indicações para novos negócios, você já criou um programa de indicações? Muitas empresas oferecem créditos em dinheiro para cada cliente indicado que efetiva uma compra. Seus clientes fiéis que lhe enviam um novo negócio poderiam ganhar créditos suficientes para realmente fazer a diferença na próxima compra que realizarem. Algumas pessoas ficarão tão motivadas a ganhar US$25, US$50 ou US$100 em créditos que lhe enviarão milhares de dólares em negócios. E se elas acumulam créditos com você, por que fariam negócios com outra pessoa? Esse é o valor de se trabalhar para criar clientes fiéis!

## COMO ABORDAR O CLIENTE ERRONEAMENTE NEGLIGENCIADO

Em um mundo perfeito, seríamos tão bem organizados e bons no cumprimento de nossos deveres que nunca negligenciaríamos qualquer um dos nossos clientes. Mas somos humanos. Tudo pode acontecer. E nos encontraremos em situações em que não teremos oferecido o nosso melhor serviço para um ou mais clientes. Felizmente, isso não acontece muitas vezes (ou não acontecerá, depois de aplicadas as estratégias deste capítulo). No entanto, como foi abordado anteriormente, responsabilidade é o nome do jogo. Você é remunerado de acordo com o grau de satisfação de seus clientes. Se não estiver feliz com sua remuneração, há grandes chances de que alguns de seus clientes também não estejam satisfeitos com o seu serviço.

Por mais difícil que seja reunir coragem para isso, a melhor abordagem com um cliente negligenciado será a mesma utilizada quando você o conquistou pela primeira vez. Se tiver sido um encontro presencial, você deve fazê-lo olho no olho. Se, inicialmente, fechou negócio por telefone, ligue para ele.

Você pode esperar que o cliente ignorado não seja nada neutro ao demonstrar sua frieza e uma completa hostilidade por conta da falha em seu serviço. E você merecerá o que ele lhe dirá. No entanto, uma vez decidido que o valor de manter aquele negócio é mais importante do que ser repreendido ou correr o risco de perdê-lo, não será tão difícil assim.

O primeiro passo é admitir a falha no serviço. Sem receios. *"Sra. Joplin, sei que não ofereci meus melhores serviços. Espero que aceite minhas sinceras desculpas e permita-me continuar a ajudá-la com seu serviço de controle de pragas."* Talvez você já esteja sabendo que ela encontrou um outro fornecedor. Se isso tiver acontecido, terá de trabalhar duro para conquistar o direito de fechar negócios com ela mais uma vez.

Se os clientes realmente não se importarem por terem sido deixados ao relento, eles lhe dirão, e você logo iniciará uma conversa sobre o que aconteceu com eles ou a sua empresa — captando as pistas de como pode ajudá-los com produtos ou, simplesmente, melhores serviços.

Quando um cliente o ignora e dificulta a recuperação da confiança, você tem de ser humilde e trabalhar lentamente o seu caminho para cair novamente em suas graças. Uma vez quebrada a confiança, é muito difícil recuperá-la. Mas pode acontecer, se ambas as partes estiverem dispostas. Talvez seja necessário começar com um pedido menor do que o usual. *"Sei que você pode não estar feliz comigo agora. No entanto, espero que considere a possibilidade de fazer ao menos um pedido pequeno neste momento, para que possamos lhe oferecer o nível de serviço que merece."* Ao oferecer um cuidado extra e serviço de acompanhamento adequado, provavelmente você recuperará a confiança plena e os negócios daquele cliente.

Se algum dos seus consumidores estiver com raiva por causa da falha em seu serviço e se sentir confortável em falar sobre isso, considere o lado positivo. Ele ainda está conversando com você, mesmo que não seja com as palavras que gostaria de ouvir. Uma vez que você se reconhece merecedor, deixe-o desabafar. No fim, sua raiva passará e ele se acalmará. Faça-o falar sobre como ele gostaria que suas necessidades fossem atendidas. Quando você estiver abordando um tópico positivo, sobre como trabalhará com ele no futuro, talvez seja exatamente o momento em que consiga recuperá-lo. Se ele realmente gostar do seu produto ou serviço, talvez só precise pedir desculpas e prometer se aprimorar. É melhor que seja específico sobre como fará isso. *"Entregarei pessoalmente seu primeiro pedido e ajudarei sua equipe a verificá-lo. Então, farei o acompanhamento com você e com sua pessoa de contato sobre a eficácia do produto. Se tiver quaisquer novas dificuldades com o produto ou comigo, gostaria saber para que eu possa regularizar a situação imediatamente. Depois disso, manterei contato em uma base mensal. Ou melhor, por que não me diz quando e como você gostaria que eu mantivesse contato? Vou acrescentar isso agora à minha agenda de acompanhamentos."* Ensaie e diga isso sinceramente. Se essa situação ocorreu, é melhor ser sincero quanto a isso. Se falar com muita pressa, parecerá que está preocupado ou com medo de perder o cliente. Você nunca desejará trabalhar tendo o medo como ponto de partida.

Se ele estiver enfrentando dificuldades com o seu produto, dificuldades que você ignorou, é uma história diferente. Ignore seu cliente por algum tempo e ele pode, simplesmente, optar pela concorrência, mas prejudicará sua reputação pessoal (e possivelmente a da sua empresa) ao longo do caminho. Manter-se em contato frequentemente deve impedir que isso aconteça.

É fácil ser fiel a alguém quando você o conhece pessoalmente. Pense sobre onde costuma fazer negócios. Você frequenta sempre a mesma tinturaria ou mercearia? Seria apenas porque são os lugares mais convenientes para você? Já fez alguma comparação entre os estabelecimentos para descobrir se há uma oferta melhor para as suas necessidades?

Somos criaturas que desenvolvem hábitos e, muitas vezes, não procuramos a mudança, a menos que estejamos infelizes onde estamos. Mas como foi que chegamos àquele lugar?

Eu, por exemplo, frequento a mesma tinturaria há anos. Em meus deslocamentos diários em torno da cidade, provavelmente passo por outras três ou quatro que poderiam oferecer o mesmo serviço e poderiam até ser mais convenientes para mim, mas nem sequer reparo nelas. Sou fiel à minha tinturaria. Por quê? Sua equipe sempre me cumprimenta com um sorriso. Muitos estão lá há anos e me conhecem pelo nome. Eles fazem um bom trabalho, e minhas peças estão sempre prontas a tempo. Eles foram além comigo em algumas ocasiões, quando precisei de um serviço rápido ou de um pequeno conserto. Tudo se resume a isto: os funcionários fazem com que eu me sinta bem quando faço negócios com eles. Será que seus clientes dizem isso sobre você? Se assim for, parabéns! Você alcançará o sucesso. Se não, você tem algum trabalho a fazer.

## CONTATO HUMANO

A maioria dos assuntos que abordamos até agora fez referência à busca de contato com os clientes. Mas e quanto aos telefonemas que eles dão para a sua empresa? O que está sendo feito para deixá-los à vontade e procurá-lo quando têm uma necessidade que não pode esperar até a próxima visita? Podem me chamar de antiquado, mas insisto em manter uma pessoa de carne e osso atendendo à nossa principal linha de telefone durante o horário comercial. Poderíamos ter seguido o caminho de tantas outras empresas, que, anos atrás, automatizaram esse serviço. Reconheço, evidentemente, o valor dessa ferramenta em empresas onde existe um volume muito elevado de chamadas, a ponto de ser necessário transferi-las para um sistema de autoatendimento, mas não acredito em sua utilização em empresas pequenas. Julgo que o investimento em uma recepcionista de qualidade, sendo ela o primeiro contato que qualquer cliente tem com a minha empresa, vale muito mais do que o salário pago a ela.

Não consigo entender como algumas empresas esperam construir a fidelização do cliente quando o único contato que ele consegue fazer é com uma voz pré-gravada, instruindo-o a obter as respostas das quais precisa. Quantas etapas dos sistemas de autoatendimento as pessoas têm de percorrer para obter respostas? Se um cliente seu tem uma pergunta rápida, que tipo de obstáculos ele precisa superar? Você o encaminha para uma página de Perguntas Frequentes em seu site? Embora eu entenda que o objetivo dessas páginas é responder as perguntas mais frequentes feitas à sua empresa, qual a explicação para colocar sobre o cliente a obrigação de encontrar a resposta? E se a pergunta respondida em sua lista não estiver redigida da maneira que ele gostaria? Por que ele precisa procurar em todos os lugares, quando existe uma comodidade moderna chamada telefone?

Apesar de grande parte da tecnologia atual ser maravilhosa, temo que algumas empresas fiquem presas aos dispositivos de economia de tempo, sem analisar o potencial de perda de negócios, pois tais dispositivos soam impessoais. Por que eu iria querer passar dez minutos ou mais procurando uma resposta em um site, quando qualquer membro de sua equipe deveria ser capaz de me responder imediatamente? Qual o meu grau de fidelidade àquela voz que me oferece a oportunidade de pressionar 1, 2, 3 ou 4? *Nenhum*. Esses sistemas podem ser convenientes e economizar tempo para os clientes antigos obterem respostas, mas também podem representar um obstáculo para os novos que buscam fazer negócios com você.

Compare o valor dos clientes que você mantém (e mantém felizes) com o que você investe em uma pessoa extremamente educada, capaz de atender ao telefone e fornecer assistência verbal imediata.

## CAMPANHAS DE FIDELIZAÇÃO

Se estiver procurando por ideias para construir a fidelização, é aconselhável aprender com outras empresas que estão sendo bem-sucedidas nessa área. Comece com empresas a quem você se considera fiel. O que elas fazem por você, além de oferecer produtos ou serviços? Quantas vezes lhe chegam às mãos informações a seu respeito? De que maneira?

Algumas empresas bem vistas no que diz respeito à retenção de clientes (fidelização) são: L.L.Bean, Omaha Steaks, Harry & David, Sears, e prestadores de seguros, tais como a State Farm, a Nationwide e a Aflac. Por favor, observe que não estou afirmando que as empresas que não foram citadas aqui estão fazendo um mau trabalho quanto à retenção de clientes. Essas são apenas algumas das empresas com boa reputação que me vieram à mente.

Há, ainda, *marcas* de produtos as quais nos tornamos fiéis. Você compra determinada marca de pasta de amendoim? Será que é porque gosta dela, porque ela é econômica ou porque sua mãe sempre comprou? Você dirige determinada marca de automóvel porque seu pai sempre teve esse modelo e ele lhe é familiar? De onde vem a sua fidelidade?

Saber discernir suas próprias relações de fidelidade certamente o ajudará a ter ideias para construí-la com seus próprios clientes.

Se ainda não tiver certeza do que propiciará a maior fidelização de seus clientes, considere envolvê-los no processo. Muitas empresas realizam pesquisas com seus clientes atuais para descobrir o que os motiva a continuar fazendo negócios com elas. As pesquisas são ótimas ferramentas. Pode-se simplesmente, fazer perguntas deste tipo: "Como você está indo?" Ou questionar ofertas específicas ou, então, sobre produtos adicionais nos quais esteja pensando para o futuro. É uma ótima maneira de verificar a aceitação de algo novo.

Um dos benefícios das pesquisas, em especial se você usar uma ferramenta on-line, é que é possível gerar um relatório global, descrito através de gráficos em forma de pizza e outros meios de análise de respostas. É melhor fazer pesquisas curtas — de seis a dez perguntas. Em tempos difíceis, as pessoas não querem e não devem ser convidadas a investir muito de seu tempo fazendo algo por você.

*Observação*: Se optar por utilizar uma pesquisa, você terá mais resultados se oferecer um brinde ou uma recompensa para quem responder. Pode ser algo oferecido on-line, ou um item físico que será enviado após o recebimento das respostas. Apenas se certifique de que é algo de real valor para seus clientes.

Perguntas formuladas adequadamente podem gerar respostas capazes de revelar o que está acontecendo no empreendimento de seus clientes; o impacto que os desafios atuais podem ter sobre eles entre os próximos 18 a 24 meses; seus planos para resistir à crise ou sobreviver; e se estão planejando ou não fazer uma reestruturação, diminuir o número de pedidos ou manter o status quo.

É preciso ser cuidadoso com o que será perguntado em uma pesquisa on-line, pois tais pesquisas costumam ser um tanto impessoais. Se a sua empresa for pequena, com poucos clientes, seria melhor você mesmo fazer a pesquisa. Não conseguirá os mesmos recursos de relatório que o software oferece, mas poderá obter respostas mais consistentes. Se estiver fazendo uma pesquisa por telefone, sugiro que você restrinja suas perguntas a duas ou três e diga-lhes que *"tenho três perguntas rápidas para fazer"*. Sempre demonstre que valoriza o tempo dos clientes.

Se parecer conveniente ao seu setor e produto, você pode convidar um pequeno grupo de clientes de áreas não concorrentes para um almoço e promover um debate em forma de mesa-redonda sobre as mudanças na economia ou sobre como seus produtos podem atender melhor às necessidades deles. Muitos de meus alunos descobriram que esse é um excelente recurso, já que, como benefício secundário do encontro, seus clientes estabeleceram relações entre si. E quem foi o herói que pensou nisso? O vendedor. Era uma situação de ganhar-ou-ganhar-ou-*ganhar*.

É um privilégio atender às necessidades dos outros. Leve isso a sério. Nunca se esqueça que outros vendedores estão tentando capturar seus clientes, assim como você está tentando capturar os deles. Valorize os seus consumidores e trate-os de forma correta, e eles se tornarão fiéis a você e à sua empresa.

## RESUMO

- Você entende que a fidelidade é construída ao longo do tempo, dando atenção consistente aos seus clientes.
- Você termina cada encontro com o cliente com estas palavras: *"Existe algo mais que eu possa fazer por você?"*
- Você tem várias ideias para construir a fidelização dos clientes, através de telefonemas, e-mail e correio.
- Você sabe como abordar um cliente negligenciado, a fim de reconquistar sua confiança e manter sua margem de negócios.
- Você estudará outras empresas que têm clientes fiéis e incorporará algumas de suas estratégias ao seu próprio negócio.

# 6. O sucesso está em quem você já conhece

*No mundo dos negócios, os homens imprudentes recebem mais do que dão. Eles não percebem que estão rompendo com a Lei Universal, o que acabará por arruiná-los. Talvez isso não possa ser mensurado em dinheiro, mas na perda da boa vontade da qual dependem todos os seus negócios futuros.*

WALTER RUSSELL

Quando confrontado com momentos desafiadores, é preciso ter um novo olhar sobre aquelas coisas que estiveram ao seu redor o tempo todo. O que isso quer dizer? Sabendo que é fundamental manter o maior número possível de clientes, você gostaria de dar uma atenção especial a cada um deles. Repasse sua história com cada um e o status das contas atuais. Procure por modificações em seus padrões de pedidos para descobrir como pode atendê-los melhor. Internamente, coloque-se no lugar deles a fim de ver as coisas sob essa nova perspectiva.

Se você oferecer um produto usado por toda uma empresa — como softwares ou impressoras e copiadoras —, talvez seja bom obter permissão para passar um dia no trabalho do cliente. Acompanhar alguns bons usuários de seu produto pode ajudar a descobrir outras maneiras de ajudá-los. O seu contato principal pode ser a Sally da contabilidade; porém, a Carol do RH também utiliza o programa de software e poderia se beneficiar de um treinamento adicional. Mas você não descobrirá isso se não tiver a oportunidade de observar como a Carol utiliza o programa. E a Carol pode conhecer diretores de RH em outras empresas a quem ela poderia indicá-lo — especialmente, quando ela conseguir captar as outras vantagens do seu produto.

Considere os produtos e serviços que cada empresa adquiriu com você no passado. Existe alguma alternativa disponível que possa ser mais econômica, de modo que continuem solicitando as mesmas quantidades que encomendavam antes, mas poupando dinheiro? Ou, caso estejam requisitando quantidades menores, não poderia ser este o momento para testarem um produto de maior qualidade — mantendo os valores atuais de suas encomendas? Você não saberá a resposta a não ser que pergunte, não é mesmo?

Talvez seus clientes não estejam atentos aos próprios padrões de requisição, e a sua análise poderia estimular algumas mudanças. Claro que sempre haverá o risco de as mudanças se traduzirem em uma diminuição de pedidos, mas você, o profissional de vendas, não apenas lhes apresentará a análise para que tirem suas próprias conclusões. O relatório incluirá sugestões para testar produtos de maior qualidade (com margens de lucro maiores) ou, até mesmo, adicionar alguns novos produtos à lista de pedidos atuais.

Amplie seu próprio pensamento, de modo a atender à necessidades que estejam além do que você oferece como produto. O que está se passando em seu setor ou nos setores de outros clientes que poderia resultar em uma informação útil para todos os seus clientes? Logicamente, você não gostaria de compartilhar segredos ou informações da concorrência. No entanto, se a John Auto Sales está sendo bem-sucedida no mercado atual enviando folhetos pelo correio, seria bom avisar a Sally's Quilt Shoppe sobre isso.

Esperamos que, ao rever suas anotações, você consiga rememorar as conversas que teve com os funcionários de cada empresa. Algum concorrente ou algum cliente da concorrência foi mencionado enquanto você aguardava na antessala? E enquanto aprimorava seu relacionamento com o agente de compras? Algo dito naquela ocasião o fez se perguntar, agora, com quem mais aquele cliente se relaciona?

Mesmo que Bill e Sue tenham lhe indicado para várias pessoas desde a primeira venda, se eles forem como a maioria dos clientes, terão conhecido novas pessoas o tempo todo. Você se manteve em contato e ofereceu um bom serviço? Conversa com eles sobre o que está acontecendo em suas vidas, ou se volta estritamente para assuntos relacionados aos negócios? Talvez eles tenham se associado a uma nova academia de ginástica ou grupo social e conhecido várias pessoas com quem você também poderia estabelecer relações. Continuou a buscar indicações qualitativas para novos clientes potenciais?

A expressão *"indicações qualitativas"* é algo que ensino há vários anos. Em essência, é obter o direito de pedir indicações para amigos, parentes e parceiros de negócios dos clientes atuais. Mas, em vez de simplesmente pedir os nomes e as informações de contato dessas pessoas, você prepara o terreno de forma diferente, solicitando para ser apresentado a elas. A imagem mental que cria é diferente, e, em vendas, esse tipo de diferença é bom.

Como exemplo, imagine-se em uma festa. Você está conversando com a sua conhecida Kathy sobre o progresso do seu empreendimento. Ela acena na direção de uma mulher que está no outro lado da sala e diz: *"Marsha se interessa por isso. Na verdade, ela trabalha com a Empresa X. Eles usam esses tipos de produtos."* Você acaba de ganhar uma oportunidade de indicação. Poderia ir até Marsha, se apresentar e dizer: *"Oi, meu nome é Kevin. Acabei de conversar com Kathy e ela me disse..."*, e tentar iniciar uma conversa.

Mas não seria melhor se Kathy fosse com você até Marsha e os apresentasse? Ela já conhece Marsha, e Marsha se mostrará menos defensiva do que estaria a sós com você, um perfeito estranho que resolve abordá-la e ainda usa o nome de Kathy. Basicamente, Kathy está se aproximando de Marsha amparada na boa relação existente entre ambas... e no seu caso... ser apresentado dessa forma é, praticamente, uma dádiva. *"Olá, Marsha. Que bom vê-la por aqui. Estava conversando com Kevin e ele mencionou que a empresa dele faz X. Sei que você está familiarizada com isso; portanto, pensei em apresentá-los. Marsha, este é Kevin Perkins. Kevin, Marsha Taylor."* E você prossegue a partir daí...

A mesma coisa pode ser feita por telefone. Quando um assunto vem à tona, e Mike lhe conta que se encontrou recentemente com Carl, que também usa o seu tipo de serviço, você procura obter o máximo de detalhes sobre Carl. Então, basta perguntar a Mike se ele estaria disposto a apresentá-lo a Carl. Se ele, como cliente, estiver satisfeito, ficará feliz em fazer isso. Tudo o que ele precisa fazer é telefonar para Carl e deixá-lo ciente de que você entrará em contato. Nada mais precisa ser dito.

Não é necessário que Mike tente vender o seu produto a Carl. Na verdade, para você, é mais interessante que Mike não fale muito sobre o seu produto ou serviço... basta que ele diga a Carl que você é um grande cara (ou uma grande garota). Mike nunca fará jus ao produto. No máximo, você deve esperar que ele diga que o produto é maravilhoso e o quanto ajudou a salvar sua empresa, aumentar o seu negócio, ou seja o que for. É seu trabalho vender o produto. Cabe a Mike, se ele estiver disposto a ajudá-lo, abrir a porta com uma indicação qualitativa.

Uma indicação qualitativa não é muito melhor do que tentar estabelecer contato por conta própria? Você pode se surpreender ao saber quantas Kathys e quantos Mikes existem no mundo que nem se dão conta de quantas pessoas conhecem, a menos e até que você comece a perguntar. E todos ficam muito satisfeitos por apresentá-lo a essas pessoas. É algo que os faz se sentir bem. Quando Kathy apresenta duas pessoas e isso produz o melhor resultado possível, sua reputação cresce e outras vão querer conhecê-la. É uma espiral fantástica de oportunidades.

Quando um agente de compras, Robert, é promovido, é provável que ele conheça funcionários de outro departamento ou de outras filiais; pessoas que você também poderá passar a atender. Lembre-se de permanecer em contato com ele, talvez não com tanta frequência quanto com o seu sucessor, que a partir de agora gerenciará as vendas que você faz. Não é recomendável que o novo agente de compras pense que você está passando por cima dele, reportando-se a Robert depois que ele foi transferido para um novo posto. Mas não permita, tampouco, que a boa vontade estabelecida anteriormente com Robert esmoreça.

Será que agora você consegue perceber que, se John e Mary pertencem ao Grupo X, eles estão conhecendo outras pessoas que também precisam do seu produto? Se você tiver atendido às necessidades de John e Mary suficientemente bem desde a primeira negociação, é provável que eles estejam dispostos a apresentá-lo a alguém. Basta perguntar.

Lembre-se de uma de nossas lições anteriores e certifique-se de *oferecer algo* antes de *perguntar*. *Ofereça* um excelente serviço. *Ofereça* uma ideia criativa da qual seus clientes possam se beneficiar. *Ofereça* informações valiosas. *Ofereça* indicações qualitativas.

Tenha sempre em mente as indicações qualitativas que você pode proporcionar aos seus clientes. Seja uma "Kathy", como em nosso exemplo anterior. Se você conseguir criar círculos concêntricos de influência em torno de si mesmo, conhecendo constantemente novas pessoas e ajudando-as, apresentando-as a outras pessoas, sentirá que a repercussão positiva desse *serviço* lhe trará quase mais negócios do que possa administrar — em qualquer situação econômica.

É como se você estivesse entrando na lista VIP das festas de Hollywood. Você circula nas altas rodas. Conhece as pessoas certas, e tudo funciona para o bem de todos os envolvidos. As pessoas que pertencem ao seu círculo conhecem, gostam e confiam em você. Então, quando fizer indicações qualitativas, elas serão valorizadas, e os recém-conhecidos tratarão uns aos outros com certo nível de respeito que contribuirá para o estabelecimento de novas relações de maneira mais rápida e, muitas vezes, mais benéfica para todos os envolvidos. É uma situação de ganhar-ou-ganhar-ou-ganhar, e foi você quem a criou!

## QUANDO SUA EMPRESA ENCERRA AS ATIVIDADES OU PASSA POR UMA REESTRUTURAÇÃO

Quando nos deparamos com desafios em um setor da indústria ou da economia global, é preciso mudar. Os indivíduos e os negócios precisam se adaptar. Muitas pessoas temem a mudança porque veem nela apenas o lado negativo. Felizmente, esse não é o seu caso. Pode parecer banal, mas todos nós precisamos aceitar a mudança. Essa é a única maneira de nos aprimorarmos. Tomando emprestada uma citação do grande e já falecido palestrante motivacional Earl Nightingale, *"se você não estiver progredindo em seu empreendimento, é porque já começou a apresentar os primeiros sinais de morte. A mesma lei se aplica a você, individualmente."*

"Progredir" significa mudar. Bem, talvez não seja nada divertido uma mudança que nos é imposta ou nos surpreende, mas se você for um verdadeiro profissional em seu setor, isso só acontecerá em raras ocasiões. Se absorveu as informações apresentadas até este ponto do livro, será um daqueles que estarão preparados para a onda da mudança. Você a perceberá assim que ela apontar no horizonte e se colocará em posição para enfrentá-la, até chegar, com segurança, à terra firme.

No incrível áudio de Earl Nightingale, *Lead the Field*, ele sugere que todos nós somos, em última análise, os presidentes de nossas próprias corporações. Ele prossegue, afirmando que nossa principal tarefa é aumentar o valor de nossas ações empresariais a cada ano. Para isso, é necessário mudar e crescer constantemente.

Eu o encorajo fortemente a não apenas ler e aplicar as informações deste livro, mas continuar lendo, ouvindo programas de áudio (como *Lead the Field*), participando de seminários ou palestras virtuais, ou frequentando cursos — especialmente aqueles que abordam habilidades de comunicação — para melhorar a sua eficácia nos negócios em uma base regular. Se você conseguir captar ao menos uma grande ideia de uma palestra ou livro que o ajude a construir melhores relacionamentos com os clientes, o investimento de tempo e dinheiro terá valido muito a pena.

Infelizmente, sempre haverá algumas poucas empresas que não cumprem esses requisitos, seja qual for o motivo. Elas podem estar com despesas muito elevadas ou ter perdido um grande cliente, cujos pedidos compunham a maior parte de sua receita. Seu setor pode ter sofrido um baque e elas não estavam preparadas para se adaptar.

Hoje em dia, o ritmo veloz do desenvolvimento de produtos faz com que os existentes fiquem obsoletos com tanta rapidez que, às vezes, podemos ficar desnorteados. Vendedores despreparados acham que isso nunca acontecerá com eles. Acabam sendo pegos de surpresa pela concorrência e forçados a reiniciar suas atividades em outro lugar. Se você vende algo que é considerado um produto da moda, provavelmente perceberá, de forma rápida e segura, a aproximação da mudança. Em áreas em que a demanda está mais solidamente estabelecida e o crescimento tem sido constante, é mais provável que haja um ritmo mais lento de mudança.

Não importa como isso acontece, mas acontece. Esperamos que o seu negócio não seja um daqueles fadados a fechar as portas. Se for, é preciso avaliar sua posição e sua estima na comunidade. Se você tiver conseguido manter registros saudáveis de vendas, provavelmente os seus serviços serão aqueles procurados pelas empresas restantes. Os sobreviventes inteligentes abandonarão os que apresentam um desempenho inferior e escolherão uma entidade reconhecida. É por isso que eles são sobreviventes.

Ao procurar um novo emprego, não raciocine do ponto de vista de quem está apenas aguardando o próximo salário. Considere onde se sentirá mais valorizado, em função de sua experiência e seu nível de relacionamento com os clientes. Você quer trabalhar em uma empresa que valorize a sua equipe de vendas; uma empresa que faça planos para o futuro e esteja fabricando novos produtos.

Muitas empresas pedirão aos seus vendedores que não optem por empresas concorrentes ao saírem do emprego atual. Algumas até incluem cláusulas relativas a esse aspecto no contrato de admissão. No entanto, tais cláusulas podem ser declaradas nulas e sem efeito se a empresa falir.

Você precisa estar 100% seguro de sua posição caso isso aconteça. Se gostar da sua área e quiser trabalhar para um concorrente que sobreviveu, é preciso estar legalmente amparado. Caso contrário, a longo prazo, você fará mal a si mesmo e ao seu setor.

Se a empresa em que trabalha fechar as portas e você se dispuser a conseguir uma colocação na concorrente, avalie cuidadosamente. Pense em seus clientes: (1) Qual empresa atenderá melhor às suas necessidades, se eles decidirem acompanhá-lo? (2) Eles *vão* acompanhá-lo?

Felizmente, você ficará sabendo com antecedência sobre quaisquer mudanças em sua empresa — se ela encerrará suas atividades, se haverá descontinuidade de uma linha de produtos ou se fechará um escritório local. Se lhe parecer conveniente e legítimo, você desejará informar seus clientes apenas sobre as mudanças que possam afetá-los. No caso do fechamento da empresa, assegure-lhes que pretende se estabilizar e continuar a trabalhar naquele setor com uma empresa de qualidade. Se você tiver lhes prestado bons serviços, provavelmente eles pedirão que os informe sobre sua nova colocação, para que possam acompanhá-lo. Isso lhes pouparia muito tempo e problemas em encontrar um novo fornecedor e treinar um novo representante de vendas para lidar com suas necessidades específicas.

Se você não estiver autorizado a comunicar previamente a mudança aos clientes, esteja preparado para contactá-los assim que for possível. Sem dúvida, os boatos sobre o fechamento de sua empresa chegarão aos ouvidos de seus concorrentes, e eles ficarão impacientes para tentar capturar os seus clientes órfãos — com ou sem você.

Se tiver dito a seus clientes que trabalha apenas com a melhor empresa, isso é ótimo. No entanto, se tiver sido pouco profissional e tiver denegrido a concorrência, e subitamente precisar buscar uma colocação entre uma dessas concorrentes, como isso soaria? Em uma situação desse tipo, provavelmente seus clientes começarão a procurar por conta própria uma empresa melhor com quem trabalhar — e um representante mais profissional.

Se você procurar um novo emprego junto à empresa que apresenta mais probabilidades de sobreviver a esses tempos difíceis, certifique-se de que ela também oferece um produto digno. Seus clientes ainda terão necessidade desse tipo de produto se sua empresa atual for à falência. Se refletir e chegar à conclusão de que é uma boa escolha, seus clientes provavelmente o acompanharão na mudança. Você terá a vantagem de começar a trabalhar em uma nova empresa com um lastro de clientes já existentes. Mesmo que o sistema de comissões seja diferente de sua empresa anterior, seus rendimentos não devem sofrer um golpe tão duro em virtude dessa transição inteligente.

Ao fazer uma mudança em decorrência do encerramento de atividades de sua antiga empresa, pense no que você leva para a nova empresa — sua experiência, seu conhecimento sobre o produto e o respectivo setor e seus clientes. Durante a fase de reflexão, é aconselhável, obviamente, permitir que o seu potencial empregador conheça o seu histórico. No entanto, você também pretende oferecer uma ideia geral sobre qual a porcentagem de clientes que poderá acompanhá-lo nessa mudança. Pode usar isso como moeda de troca, conseguindo o melhor produto para esses clientes antigos e, possivelmente, um bônus de assinatura para si mesmo. Só faça isso se realmente acreditar que a nova empresa tem um excelente produto substituto a oferecer. Tal como acontece em qualquer negociação na profissão de vendedor, a ética deve estar sempre em primeiro lugar!

## QUANDO A CONCORRÊNCIA DIMINUI

Para onde vão todos os clientes da concorrência quando uma empresa fecha? A menos que seus vendedores sejam tão bons quanto você, auxiliando-os a fazer a transição para um novo fornecedor, os clientes podem ficar um pouco perdidos. Eles terão de investir tempo e esforço para pesquisar novos fornecedores. Se estiver trabalhando em uma empresa que sobreviveu à crise, você desejará fazer tudo o que estiver ao seu alcance para conquistar esses clientes. Se tudo correr bem, sua empresa contratará alguns dos melhores profissionais de vendas do concorrente que foi à falência, e eles poderão trazer consigo tais clientes. Se sua empresa não estiver em condições de assumir novas despesas, mas, ainda assim, desejar ter aqueles clientes, talvez você tenha de começar a interagir com os vendedores como forma de se antecipar (ou, pelo menos, conseguir os nomes de alguns bons clientes). Você já deve estar ciente de que alguns daqueles consumidores optaram pela concorrência porque você foi incapaz de conquistá-los anteriormente.

Talvez sua empresa pudesse conceber alguma maneira criativa de recompensar os antigos vendedores do concorrente com comissões por cada indicação, se eles se esforçarem em repassar aqueles negócios para você. Mais uma vez, é a ética que está em jogo aqui, e todos precisam jogar limpo para evitar quaisquer implicações legais ou de outra natureza.

Como abordar esses clientes? Cuidadosamente. Com um pouco de sorte, eles o receberão como uma resposta às suas orações ou como alguém que chega em um corcel branco, pronto para começar a trabalhar. Eles apreciarão a sua abordagem, pois você sabia que estavam em uma situação difícil ou que haviam sido deixados ao léu pela concorrência.

Alguns podem se mostrar um pouco desconfiados ao fazer negócios com você, dependendo do que causou a falência do concorrente e do quanto eles podem ter sofrido por conta disso. Esses clientes não vão querer negociar com a sua empresa para ter de enfrentar o mesmo problema daqui a seis meses. Eles precisam saber que você pretende permanecer no mercado por tempo suficiente para realmente ajudá-los; não estarão dispostos a colocar sua fidelidade em risco tão cedo. Com essas pessoas, você terá de trabalhar mais para conquistar sua confiança, e, provavelmente, terá de começar com pedidos menores, mostrando-se capaz de atender bem suas necessidades.

Uma ideia para abordá-los é mudar a maneira de lidar com as objeções, com a ajuda de uma estratégia denominada "Coloque-os no seu lugar". Com tal abordagem, você pergunta como lidariam com esta situação se estivessem no seu lugar ou na posição de sua empresa: *"Sr. Parker, gostaria de lhe dizer que compreendo inteiramente a sua situação — o seu medo de selar um compromisso com a minha empresa, especialmente depois de ter acabado de passar por uma decepção com o seu antigo fornecedor. Mas nunca estive exatamente na sua posição. Sabendo o que sabe hoje, se você fosse o dono da minha empresa, diante de um cliente potencial que teve uma experiência ruim no passado, como sugeriria que a situação fosse administrada?"* Então, ouça a resposta. O Sr. Parker lhe dirá exatamente como prefere ser tratado. Ao tratá-lo dessa forma, você o terá conquistado.

## SENDO INDICADO POR PESSOAS QUE NÃO SÃO SEUS CLIENTES

A esta altura do livro, você já aprendeu algumas maneiras de abordar os clientes atuais para gerar oportunidades de novos negócios. Agora, vamos apresentar algumas ideias para ser indicado por pessoas que não são seus clientes.

A menos que você esteja no ramo funerário, haverá, forçosamente, um grande grupo de pessoas que você conhece e que não seria suscetível de se beneficiar do seu produto ou utilizar o seu serviço. Faça um favor a si mesmo e não negligencie esses contatos. O mundo é muito pequeno. Se ainda não vivenciou isso, espero que o faça em breve. Todas as pessoas que você conhece têm outros amigos e conhecidos além de você. Assim, mesmo que não sejam candidatas ao seu produto, elas podem muito bem conhecer alguém que seja.

Ainda que você venda jatos particulares e sua lista de clientes potenciais for relativamente pequena, algum conhecido provavelmente sabe de alguém com quem você pode obter uma oportunidade ou uma indicação. No momento em que escrevo este livro, pouco mais de 10 mil jatos particulares voam regularmente pelos céus dos Estados Unidos. Não é necessário dizer que a lista de clientes potenciais para pequenos jatos particulares é algo exclusivo. No entanto, se for possível chegar ao nível exclusivo, seja por meio do treinador de futebol do filho de um cliente potencial, do massagista ou da avó, você desejará fazê-lo.

Mesmo que seus familiares e amigos próximos não conheçam diretamente os que possam estar interessados em seu produto ou serviço, eles conhecem pessoas que conhecem outras pessoas. É trabalho seu manter-se em sintonia com o que está acontecendo em suas vidas e os círculos nos quais eles circulam. Você precisa semear constantemente a convivência com os outros, para se conectar com alguém que seja um bom cliente do seu produto ou serviço.

Quando estiver conversando com alguém que faça parte do seu círculo de amizades, basta perguntar: *"Quem você conhece que gosta de trailers?"* Não pergunte "Você conhece alguém?". Esse tipo de pergunta, com muita frequência, leva à mesma resposta: "Não, não conheço." Quando você pergunta "quem você conhece?", a pessoa é obrigada a fazer um tipo diferente de pesquisa cerebral. As respostas a perguntas com a palavra *quem* exigem raciocínio. O mesmo acontece com perguntas usando *que, quando, onde* e *por quê*. Perguntas com respostas fáceis como "sim" e "não" vão lhe render apenas essas respostas, portanto evite-as quando estiver tentando fazer com que alguém lembre o rosto ou puxe pela memória o nome de um cliente potencial.

Faça as mesmas perguntas dos proprietários e da equipe das empresas que você frequenta. Todas as pessoas podem ser interpeladas. É seu trabalho fazer a abordagem correta.

Meu mentor, J. Douglas Edwards, costumava contar uma história sobre um jogador de beisebol profissional que teve seu passe comprado por outra equipe. Os detalhes da negociação estavam em todos os noticiários locais da cidade para onde ele estava prestes a se mudar. Era o grande assunto das conversas. Eram poucas as pessoas que não estavam cientes de sua jovem família e de seu altíssimo salário. Isso incluía os vendedores locais. No entanto, poucos se atreviam a pensar em tê-lo como cliente.

Um corretor imobiliário local enviou felicitações ao jogador pela negociação e lhe desejou boas-vindas à nova comunidade. Ele anexou seu cartão de visitas e ofereceu-se para responder quaisquer questões que o jogador pudesse ter sobre aquela área. Adivinhe o que aconteceu? Ele foi o único corretor imobiliário a entrar em contato com aquele jovem jogador. A família telefonou para ele, que os ajudou a encontrar um imóvel que atendesse às suas necessidades. Como a maioria dos corretores imobiliários faz, ele também preparou uma lista de fornecedores de seguros, informações sobre escolas, lojas e igrejas locais, e assim por diante. Acabou se tornando um contato fundamental para aquele jogador. Ganhou uma boa comissão pelo serviço da venda do imóvel e ainda fez com que aqueles que estavam em sua lista fossem indicados para várias transações.

## VOCÊ ESTÁ NA LISTA DE QUEM?

Se você ainda não tiver uma lista de indicações para oferecer a seus clientes, reunindo os serviços de outros profissionais de qualidade em setores pertinentes e que não façam parte da concorrência, crie uma. E faça com que todos os que estiverem na sua lista criem suas próprias listas e incluam nelas o seu nome. Nunca se sabe onde essas listas podem parar... esperamos que seja nas mãos de clientes qualificados, e que você não precise procurá-los por si mesmo. Este não é o seu tipo favorito de telefonema? *"Olá, meu nome é Angie Smith. Você foi indicado pelo meu corretor imobiliário/empresa de pesticidas/tinturaria/patrão. Estou precisando..."*

É provável que Angie seja pré-qualificada e tenha um nível mais baixo de resistência às vendas. Ela conseguiu o seu nome com alguém em quem confia, mesmo que você nunca tenha atendido às necessidades daquela pessoa. Cuide bem de Angie. Em seguida, ligue para a pessoa que lhe indicou e conte o que aconteceu. Agradeça-a pela indicação. Se ela ainda não for sua cliente, opte pela indicação em sentido contrário, usando a satisfação de Angie com o seu serviço como meio de conquistar esta pessoa.

## O PODER DO NOTICIÁRIO POSITIVO

Em 2008, o jogador de basquete Shaquille O'Neal foi contratado pelo meu time da NBA, o Phoenix Suns. Ele era dono de um veículo muito grande, adequado para o homem gigantesco que ele é. Infelizmente, não havia espaço suficiente para estacionar nas grandes áreas comerciais em torno de muitos dos restaurantes locais. Shaq havia marcado um almoço em um dia quente de verão (mais de 37 °C) e descobriu que teria de estacionar a vários quarteirões de distância do restaurante. Um fã o reconheceu e o cumprimentou. Shaq lhe pediu uma carona até o restaurante. O fã se surpreendeu com o pedido e concordou de bom grado. A parte interessante foi que o fã dirigia um veículo compacto, que mal comportava o jogador. O fã tirou uma foto do atleta em seu pequenino carro e Shaq posou com ele para outra foto. As imagens e a história foram parar na seção de assuntos locais do jornal.

Enquanto muitos leitores daquele artigo ficaram imaginando o quanto deve ter sido divertido conhecer Shaq e lhe fazer um favor, meus pensamentos logo se voltaram para a oportunidade. Se eu estivesse lendo o artigo e fosse dono de algum restaurante naquela área, teria mandado uma mensagem a Shaq, dizendo que se ele quisesse jantar em meu restaurante, eu reservaria uma vaga adequada nas proximidades, para que ele pudesse estacionar seu enorme veículo. Ou, se isso não fosse possível, eu me ofereceria para ir buscá-lo de carro. Ofereceria, inclusive, a mesa mais reservada possível e uma entrada ou saída privativa, se ele assim o desejasse. A notoriedade por tê-lo como freguês, sem dúvida, impulsionaria o meu negócio. Minha boa ação traria muitas recompensas e poderia, até mesmo, virar notícia.

Tento orientar meus alunos a não ler regularmente as notícias ruins. No entanto, se a leitura do jornal for um hábito, leia cada notícia interessante tendo em mente as oportunidades potenciais. Elas estão lá, mas você só reconhecerá aquilo que funcionará para seu produto, seu setor e você.

## EXPANDA SEU CÍRCULO

A que grupos ou organizações você pertence atualmente? Integrar e participar de movimentos da sociedade civil ou de associações corporativas é um bom caminho para obter grande visibilidade. Você será reconhecido como um legítimo apoiador do grupo. As pessoas se sentirão mais confiantes para abordá-lo assim do que se você fosse um completo estranho. Se for muito ativo em um grupo do seu setor, isso ajudará a construir sua credibilidade como especialista. Pessoas que talvez ainda não conheça se sentirão compelidas a procurá-lo quando tiverem dúvidas nesta área que você domina.

Você se relaciona com a câmara de comércio local? E com o Toastmasters? Essas são duas das melhores organizações que conheço para oportunidades de interação social. A interação social, feita corretamente, lhe oferecerá algumas ótimas oportunidades de negócio com novas fontes.

Como se "interage socialmente"? Em primeiro lugar, você se prepara. Ao conhecer alguém novo, o procedimento padrão é perguntar o nome e descobrir em que tipo de negócios aquela pessoa está envolvida.

Acho interessante que quase todos nós nos autodefinimos pelo que fazemos, e não necessariamente pelo que somos. Como exemplo, considere um pequeno grupo de pessoas que se reuniram para uma finalidade específica. Muito provavelmente, o líder do grupo fará com que cada pessoa se apresente e conte um pouco sobre seu histórico ou por que motivo ela está ali. Você ouvirá coisas deste tipo: *"Meu nome é Joseph Callaghan. Trabalho como advogado, e estou aqui hoje porque..." "Eu sou Martha Patterson. Meus filhos frequentam este grupo, por isso estou aqui para ajudar."* Tendemos a nos identificar com o que fazemos ou com quem nos relacionamos.

Na área de vendas, é preciso dominar a estratégia de ser identificado pelo serviço que se oferece. Nunca mais diga a alguém que acabou de conhecer que você é um vendedor da empresa ABC. Fale sobre os benefícios que oferece. *"Sou Tom Hopkins. Ajudo as empresas a aumentar as vendas, e, assim, seus resultados finais, através da melhoria da experiência dos clientes com suas próprias firmas."* Se eu tivesse dito "sou um instrutor de vendas", as pessoas teriam noções preconcebidas sobre minha profissão. Ao descrever o serviço que ofereço, desperto a curiosidade, o que faz com que novas pessoas queiram me conhecer.

Eis aqui alguns outros exemplos de descrições de benefícios, para ajudá-lo a ter uma ideia melhor. Depois de lê-las, redija a sua própria. Memorize-a. E comece a usá-la.

Serviços financeiros: *"Mostro às pessoas maneiras de fazer e economizar dinheiro. Temos um método maravilhoso para analisar onde as pessoas estão hoje, onde elas estavam no passado e como chegar ao que elas querem ser no futuro, com base em seus sonhos e objetivos financeiros. É um programa emocionante."*

Melhorias domésticas: *"Ajudo as pessoas a manter e aprimorar o valor daquilo que, provavelmente, é seu investimento de maior peso. Por exemplo, se eu o fizesse voltar para casa munido de uma varinha mágica e você tivesse o direito de usá-la para mudar uma única coisa em sua casa que não fosse a hipoteca, o que seria?"*

Mercado imobiliário: *"Mostro às pessoas como alimentar seus sonhos de viver em uma casa própria, criando memórias com seus entes queridos e transformando-os em realidade."*

Pátios externos: *"Sou um especialista em lazer. Ajudo as famílias a terem mais tempo de lazer em suas próprias casas."*

As descrições não são sobre os produtos. São sobre os benefícios.

Ao selecionar grupos com quem se relacionará, considere suas próprias habilidades nos negócios e seus talentos em assuntos não comerciais ou em hobbies. Participar não significa, necessariamente, que você tenha de se filiar a dez grupos diferentes e frequentar reuniões intermináveis. Muitas organizações oferecem oportunidades de voluntariado para os que não são membros. Faça o que puder. Faça uma boa ação e conheça novas pessoas ao longo do caminho. Onde você encontra essas oportunidades? Normalmente, elas aparecem nos jornais e são publicadas nos sites dos grupos. Se você não tiver certeza de por onde começar, pergunte ao seu círculo já existente de amigos e conhecidos. Se revelar que está procurando oportunidades de voluntariado, as pessoas terão prazer em ajudá-lo.

Esteja certo de entender o objetivo do grupo antes de mencionar seu produto ou serviço para os outros membros. Além disso, mostre-se grato a todas as pessoas que fazem parte da rede de relações que está sendo desenvolvida. Preocupe-se em não deixar transparecer que você está querendo tirar alguma vantagem, e elas o ajudarão ainda mais. Voltando a um ponto anterior, sempre que terminar uma conversa, pergunte o que pode fazer por elas.

## RESUMO

- Você revisará os registros dos clientes atuais e seu histórico de pedidos, buscando novas ideias para manter ou expandir seus negócios.
- Você entende o poder de solicitar indicações qualitativas, em vez de meras indicações.
- Você nunca dá um telefonema ou entra em contato para *pedir* alguma coisa, a menos que tenha algo a *oferecer*.
- Se a sua empresa for à falência, você não entrará em pânico. Sabe como seguir adiante com firmeza.
- Você elaborou uma abordagem específica para novos clientes potenciais, que ficaram órfãos depois do encerramento das atividades de uma concorrente.

- Você pesquisará grupos locais dos quais poderia participar ou oportunidades de voluntariado, onde poderá ajudar os outros, obter alguma visibilidade e conhecer novas pessoas.
- Você preparou uma descrição de benefícios oferecidos às pessoas/empresas, a ser utilizada quando conhecer novas pessoas.

# 7. Como determinar rapidamente se alguém é um novo cliente ideal para você

*Um profissional sabe quando a mais eficaz das suas demonstrações é não fazer demonstração alguma. Ele aprende isso na qualificação.*

TOM HOPKINS

Este poderia muito bem ser o capítulo mais importante de todo o livro, no que se refere ao desenvolvimento de habilidades. Os vendedores profissionais, ao contrário dos medíocres, não costumam ser desleixados na adequada qualificação de clientes potenciais.

Qual é a etapa de qualificação no processo de vendas? Se você for profissional, é a etapa seguinte ao contato inicial e anterior à apresentação de qualquer um dos seus produtos como possível solução. Se tentar qualificar antes de estabelecer uma relação, parecerá muito abrupto e, até mesmo, ganancioso. Se deixar a qualificação para o fim da demonstração, talvez acabe percebendo que desperdiçou seus esforços.

A qualificação precisa acontecer no início do ciclo de vendas, de modo que você não precise perder o seu tempo com alguém que não comprará nada. É o momento em que são feitas as perguntas para determinar as necessidades de seus clientes potenciais. Mentalmente, então, se estabelece a correspondência entre tais necessidades e os produtos e serviços que oferece. Se uma correspondência significativa for identificada, você passa a fazer uma qualificação secundária, determinando em quanto tempo eles gostariam de arrumar uma solução para suas necessidades e o quanto podem pagar.

A qualificação é o ponto decisivo no seu ciclo de vendas. Como resultado, haverá duas possibilidades: (1) você determina que este novo contato é qualificado e avança, discretamente, para a próxima etapa da demonstração; ou (2) você determina que ele não está qualificado e, elegantemente, passa para outro cliente potencial.

Quanto mais qualificado for o cliente potencial, mais chances você terá de fechar a venda. Um cliente qualificado não *garante*, contudo, o fechamento de uma venda. Conseguir a decisão final positiva cabe totalmente a você e às suas habilidades de demonstrar, tirar as dúvidas e fechar negócio — tudo isso acontece após a qualificação.

Os clientes indicados por outros clientes tendem a ser os mais qualificados. Sem dúvida, será um caso raro alguém lhe indicar a um cliente que esteja totalmente desqualificado para seu produto ou serviço. Claro que eles podem não saber como a pessoa que estão indicando responderá as suas perguntas de qualificação, mas, na maioria dos casos, estão lhe passando o contato de alguém muito parecido com eles. E, considerando-se que eles tiveram necessidade do que você estava oferecendo, é provável que as outras pessoas também tenham.

As pessoas que são indicadas ouvem falar de você por intermédio de alguém que já está feliz com o seu produto ou serviço. É provável que elas confiem naquele cliente satisfeito e que esse nível de confiança se transfira também daquele relacionamento para a sua pessoa. Normalmente, os que são indicados pensam que desfrutarão dos mesmos benefícios de quem os indicou, e, por isso, se mostrarão muito disponíveis para conversar com você.

No entanto, tenha cuidado para não assumir que é possível poupar tempo na qualificação dessas pessoas. Só por pensarem que são parecidas com um dos seus clientes atuais, não significa que sejam. Os Maxwells e os Parkers podem viver na mesma rua, no mesmo tipo de casa e ter histórias profissionais semelhantes. Mas os Maxwells podem ser melhores no gerenciamento de seus gastos e conseguir pagar o valor que você pede. Os Parkers podem estar abarrotados de dívidas e não serem financeiramente qualificados, embora o seu produto atenda a uma necessidade percebida.

Este é o único momento em todo o ciclo de vendas no qual você precisa fazer com que seus clientes falem o tempo todo. Quanto mais eles falarem, mais você ficará sabendo se pode ou não ajudá-los. Isso não quer dizer que você tenha de virar um palestrante depois de qualificá-los, mas, sim, que seu trabalho nesta etapa do ciclo de vendas é bombardeá-los de perguntas. Faça com que eles sejam francos sobre suas necessidades, desejos, esperanças, sonhos e situação financeira.

É importante perceber que poucas pessoas ou empresas fazem mudanças drásticas em seus hábitos de compra. Elas tendem a comprar as mesmas marcas e produtos similares

— talvez com algumas atualizações ou com cores novas e estilosas. Portanto, é importante perguntar sobre compras anteriores de produtos semelhantes ao seu. Faça-as falar sobre suas experiências de compra (boas ou más), detalhes sobre os produtos que já possuíram e o que mais lhes agradava naqueles produtos.

Em seguida, questione por que estão considerando mudar neste momento. Pergunte o quê ou que coisas diferentes elas esperam de um novo produto. As respostas evidenciarão suas expectativas. Se você fizer um bom trabalho aqui, há grandes chances de elas lhe dizerem exatamente o que desejam possuir e a faixa de preço que lhes seria confortável. É por isso que ser eficiente nesta etapa é fundamental para o sucesso de sua carreira como um todo.

Ao ouvir, esteja atento para captar o que chamamos de aspectos de maior relevância. São aquelas características que os clientes consideram indispensáveis. Muitos vendedores medíocres se fixam em vender o que gostam de vender, e não o que os clientes querem. Esses aspectos relevantes acabam se tornando bastante evidentes, mas tais vendedores não conseguem aproveitá-los sabiamente em suas demonstrações.

Se houver uma característica ou uma opção absolutamente necessária para o seu cliente e ela não estiver integrada ao que você está oferecendo, é preciso proceder com cuidado. Talvez tenha de ajudá-lo a pesar o valor daquele recurso contra todos os outros que você é capaz de oferecer. Se os benefícios de todas as outras características forem suficientemente satisfatórios, talvez o cliente considere seguir em frente sem aquele aspecto relevante. Na verdade, ele pode perceber que, afinal, aquilo não é tão importante assim. Talvez tenha sido uma característica dos modelos anteriores do produto, e, portanto, ele se acostumou a tê-la, sem nunca ter avaliado corretamente o seu real valor. Em alguns casos, você conseguirá convencê-lo. Em muitos outros, não.

Certa vez, tive um comprador que insistia em querer uma casa com pisos de madeira. Em minha área, já não se faziam mais casas novas com pisos de madeira, e algumas das casas mais antigas com esses pisos estavam em más condições ou eram pouco atraentes do ponto de vista arquitetônico. Pesquisei quanto custaria substituir os pavimentos de uma casa nova por madeira de lei, caso conseguisse encontrar uma planta que agradasse o meu cliente. Também pesquisei aquelas casas mais antigas. Eu estava disposto a trabalhar com ele de uma forma ou de outra, e nós começamos analisando as casas mais antigas, tendo em mente o "aspecto relevante" dos pisos de madeira. No fim, o cliente comprou uma das casas mais antigas, mantendo-se fiel ao seu plano original, mas se dispondo a fazer grandes alterações na estrutura da casa ao longo dos próximos anos. Se tivesse tentado forçá-lo a comprar uma das casas mais novas, sugerindo que ele refizesse o piso, eu poderia ter perdido a venda, as indicações para outros clientes e os negócios futuros com aquele comprador.

## ONDE ENCONTRAR CLIENTES QUALIFICADOS

As indicações pré-qualificadas são as melhores. Esses novos clientes podem ter sido indicados por um cliente atual, ou podem fazer parte de um grupo ou de uma área demográfica que esteja atendendo. Felizmente, você mantém um registro de como cada cliente foi contactado pela primeira vez. Dessa forma, quando o ritmo dos negócios diminuir, poderá retornar àquela mesma fonte para buscar mais clientes potenciais. É provável que, se um cliente bem qualificado foi conquistado de determinada maneira ou em determinado lugar, mais clientes semelhantes virão daquela mesma fonte.

Como seres humanos, temos a tendência de nos aproximar de pessoas muito parecidas conosco. É onde nos sentimos confortáveis. Pense nisso. Você não sai com amigos e vizinhos, com os pais de amigos de seus filhos, e assim por diante? Você frequenta grupos ou associações onde poderá encontrar outros homens de negócios. Vocês podem estar em estágios análogos de suas vidas ou carreiras, terem os mesmos interesses e objetivos.

Não parece provável, então, que a fonte de seus clientes mais qualificados reserve clientes idênticos, aguardando a sua atenção? Onde foi que você conheceu o Sr. Pede-à-Beça ou a Sra. Compradora Frequente? Foi um encontro casual em uma festa? Era a festa de quem? Eles foram indicados por alguém? Você pegou o nome deles em uma lista? Eles ligaram para sua empresa? Foi a partir de um anúncio ou eles estavam apenas fazendo compras e o encontraram?

Conhecendo a procedência de seus clientes atuais, você pode criar uma lista de locais prováveis onde possa ganhar novas indicações potenciais para mais negócios. Em tempos difíceis, é interessante que você atenda mais clientes. Claro que precisa manter seus clientes atuais felizes, mas se eles estiverem fazendo pedidos menores, será preciso uma base maior de clientes para manter seus rendimentos no nível desejado.

É importante, também, elaborar uma descrição demográfica clara de seus clientes ideais. Comece preparando uma lista de critérios daquele que seria considerado um bom cliente.

Se você vende para consumidores, eles pertencem a uma determinada faixa etária? São casados? Solteiros? Com ou sem filhos? Viajam para o exterior? Vivem em determinada comunidade? Dirigem caminhões ou carros esportivos? São alunos de uma das dez melhores universidades do país? Trabalham em alguma área específica (médicos, advogados, dentistas, arquitetos, operários etc.)? Gostam de atividades ao ar livre? Eles acampam, caçam ou pescam?

Se os seus produtos são utilizados por empresas, suas instalações estão em torno de mil metros quadrados? São fábricas, pontos de venda ou escritórios? Quais são os seus requisitos típicos de uso?

Você chega a uma conclusão. Sua lista pode ser criada com base em seus vários clientes qualificados e satisfeitos ou, se for relativamente novo na área de vendas, é possível começar com os benefícios dos seus produtos. Pense: *"Meus clientes são pessoas que precisam de __________."* Crie uma lista dos cinco ou seis critérios que considera mais importantes para a maioria dos seus clientes.

1. ____________________________________
2. ____________________________________
3. ____________________________________
4. ____________________________________
5. ____________________________________
6. ____________________________________

Cuidado com os padrões que vierem à tona quando essa lista for compilada. Você pode descobrir que deixou passar centenas e, até mesmo, milhares de dólares em negócios potenciais, sem perceber que aqueles clientes estavam provavelmente qualificados para adquirir o que você oferece.

Vamos comparar essa situação com a compra de um veículo novo. Uma vez decidido que você quer um caminhão vermelho, é como se vários caminhões vermelhos começassem a aparecer em todos os lugares, não é? Na realidade, eles estavam lá o tempo todo. Simplesmente, o "caminhão vermelho" não fazia parte dos seus critérios ao observar o mundo.

Depois de compilar sua lista, memorize-a! Então, quando alguém mencionar algum desses critérios, sua mente deve registrar: *Puxa, esta pessoa (ou empresa) pode estar qualificada para o meu produto. Vou parar de fazer o que estou fazendo e aprender mais sobre ela.* Em breve, você se descobrirá atraindo mais oportunidades de negócios, em vez de deixá-las passar.

Usar esses critérios como medida também o ajudará a identificar as pessoas que talvez não estejam qualificadas para adquirir o seu produto ou serviço. Você sabe o que quero dizer. Você começa uma conversa com uma pessoa e ela menciona várias coisas... talvez as coisas que estão na sua lista... o que a qualificaria como usuária do seu serviço. Mas, em seguida, surgem mais um ou dois outros pontos mostrando que ela não é uma candidata verdadeiramente adequada neste momento (como o fato de estar atravessando o pior trimestre de seu ano fiscal). No entanto, daqui a seis meses ou, quem sabe, dois anos, ela pode estar qualificada. Logo, você não faz uma demonstração exaustiva, mas mantém a porta aberta para futuros negócios. Ter sempre em mente essa lista o ajuda a se tornar mais eficaz na otimização do tempo empregado nas vendas e, também, na captura de informações sobre futuros clientes potenciais.

## FAZENDO OS CLIENTES POTENCIAIS FALAREM

Para saber se as pessoas estão ou não qualificadas para adquirir o seu produto ou apreciar os benefícios de seu serviço, precisa fazê-las falar. Como mencionamos antes, você consegue isso formulando perguntas. Mas quais as melhores perguntas a se fazer para obter as informações das quais necessita? Pura e simplesmente, aquelas que de fato lhe darão as informações das quais você precisa.

Eu ensino um método reverso de qualificação, que usaremos aqui. Em vez de abordar a etapa de qualificação de vendas a partir do cenário *anterior*, vamos optar pelo cenário *posterior*.

O que você sabe sobre os clientes extremamente bem qualificados para o seu produto ou serviço? Pense em alguns dos seus clientes mais satisfeitos. Que aspectos fundamentais ajudaram os dois lados a perceber que trabalhar em conjunto foi uma situação de ganhar-ou-ganhar?

Isso vai além dos critérios já listados. Pense em algumas situações do passado, em que estava preenchendo a documentação ou registrando as ordens de compra em seu computador. Você se sentia muito feliz por atender às necessidades daqueles clientes. Eles estavam felizes por ter tomado aquela decisão. Que perguntas o impulsionaram a oferecer determinado produto? E este produto foi ideal para atender às necessidades daqueles clientes?

Reserve um momento e faça uma lista das informações ideais que você teria de saber sobre alguém antes de aconselhá-lo a adquirir apenas um de seus produtos mais populares. Faça isso aqui mesmo, no livro, para que as anotações estejam disponíveis à medida que prosseguimos.

________________________________________

________________________________________

________________________________________

________________________________________

________________________________________

________________________________________

Agora, vamos retroceder um pouco. Que perguntas você faria para obter essas informações? Qual ordem faz mais sentido? Para saber se está ou não no caminho certo, pergunte-se o seguinte diante de cada questão: *"A resposta a esta pergunta me dirá se este cliente potencial realmente tem a necessidade, o desejo e a capacidade financeira para tomar uma decisão hoje, caso o meu produto seja o melhor para as suas necessidades?"* Se as perguntas não o levarem a responder afirmativamente, é porque você não está fazendo a qualificação da maneira mais adequada.

________________________________________

________________________________________

________________________________________

---

---

---

Dedique tempo para trabalhar nisso. Ajuste as perguntas até que elas pareçam confortáveis. Uma vez aperfeiçoadas, seu processo de vendas será muito mais tranquilo. As perguntas precisam ser coloquiais, mas, ainda assim, específicas... no sentido de conquistar a venda.

Um alerta: é importante não transmitir a impressão de que você está percorrendo uma lista de perguntas durante os telefonemas, como se fosse algo mecânico ou um jogo de perguntas. Seu tom deve ser profissional e coloquial.

É preciso ter uma compreensão clara de onde cada cliente está vindo e para onde quer ir. Na área de vendas, considerar as características que os clientes não usariam ou precisariam é tão importante quanto abordar aquelas das quais eles irão desfrutar. Talvez o desejo de mudança esteja em se afastar de algo que não está funcionando como poderia e partir em direção a algo novo, que satisfaça uma necessidade. Ambos os aspectos o ajudarão a identificar o que eles estão interessados em adquirir.

Depois de entender e usar essa estratégia com um único produto, invista algum tempo para aplicá-la a outros que você oferece. Quanto mais bem preparado você estiver, mais fácil lhe parecerá o processo de qualificação. E, muito em breve, você se descobrirá fazendo demonstrações poderosas. Quanto melhor (e mais específica) sua demonstração, mais alto será sua taxa de fechamento de vendas.

## O PODER DE UMA QUALIFICAÇÃO EFICAZ

Saber qualificar clientes potenciais de forma correta, eficaz e rápida é a etapa do ciclo de vendas que faz a diferença entre ter um rendimento médio e alcançar o status de campeão em sua empresa, área ou setor. Anos atrás, trabalhamos com um psicólogo organizacional que estava desenvolvendo uma ferramenta de avaliação para medir as habilidades de venda dos candidatos. Depois de testar seu sistema em mais de 250 mil vendedores, ele provou isso — saber qualificar faz mais diferença nos resultados finais do que saber fechar uma venda. Os vendedores com altas habilidades de qualificação apresentavam uma probabilidade maior de ter um rendimento de seis dígitos.

Logicamente, se você estiver diante de um cliente altamente qualificado e não sugerir a emissão da ordem de compra, será impossível concluir a venda, mas muitos vendedores perdem tempo insistindo em clientes não qualificados. Por isso, eles não conseguem obter os mesmos altos rendimentos dos qualificadores mais bem-sucedidos.

O propósito de uma boa estratégia de qualificação é economizar tempo — o seu *e* o dos clientes. Você não pretende investir o seu valioso tempo com pessoas não qualificadas para o seu produto. Elas também não querem perder tempo conversando com você, se nada daquilo lhes interessar.

Ocasionalmente, você irá se deparar com pessoas sem nada para fazer e que demonstram interesse em sua linha de produtos, mesmo sem estar qualificadas para adquiri-la. A melhor estratégia com essas pessoas é ser agradável e generoso. Gentilmente, ofereça-se para lhes enviar algumas informações, em vez de investir tempo presencial ou ao telefone. Conforme mencionado anteriormente, mesmo que não estejam qualificadas para o seu produto, elas podem conhecer outras pessoas que atendam aos critérios de qualificação.

Não quero parecer insensível, mas as vendas se resumem, verdadeiramente, a uma questão de números. Você precisa dominar a etapa de qualificação e determinar rapidamente (mas não de modo brusco) se cada indicação recebida pode se converter, de fato, em um bom candidato potencial.

Se essas pessoas não estiverem qualificadas, você desejará ser agradável e deixará a porta aberta para futuros negócios no caso de as coisas mudarem, mas siga em frente. Porém, antes de abandonar qualquer cliente não qualificado, descubra se ele conhece alguém que seria um candidato potencial ao seu produto e invista nessa indicação. As situações podem mudar rapidamente. Talvez Sara não esteja qualificada para contratar o seu serviço de bufê hoje, mas ela pode receber um bônus no próximo mês ou uma herança e, quem sabe, queira comemorar com uma reunião especial. É sempre aconselhável deixar uma impressão positiva nas pessoas que não são seus clientes, para que elas pensem em você quando chegar o momento adequado.

Se esta empresa ou estas pessoas se mostrarem boas candidatas ao seu produto, em seguida, deve-se fazer uma qualificação mais cuidadosa de suas necessidades, para determinar a melhor solução a lhes apresentar. Falamos sobre isso no capítulo 4. Você reúne o maior número possível de informações sobre essas necessidades, e faz um resumo antes de apresentar a sua solução.

Em alguns casos, você pode conhecer clientes qualificados em situações não comerciais. Talvez a ocasião não seja propícia para ir mais longe no momento. Sua meta, em tais situações, não é se aprofundar na qualificação nem se preparar para uma demonstração. Pelo contrário, deve recuar um pouco e refletir como os benefícios de seu produto atenderão às necessidades daqueles clientes. O desafio, aqui, é conhecê-los exatamente enquanto o interesse por seu produto estiver alto, e antes que alguma coisa mude e possa desqualificá-los — por exemplo, serem contactados primeiro pela concorrência.

Quando trabalhava no setor imobiliário, costumava promover visitações abertas às propriedades. Sempre acontecia de um cliente bem qualificado aparecer. A casa onde a visitação aberta estava acontecendo talvez não fosse a mais indicada para ele, mas eu não podia sair dali para lhe mostrar outras propriedades mais adequadas. Ele já chegava pronto para adquirir algo. Seria impossível sair correndo para atender às suas necessidades sem deixar o meu cliente da visitação aberta abandonado à própria sorte.

No fim, descobri uma saída para essa situação. Comecei a levar recipientes de dois litros de sorvete para as visitações abertas. Se eu identificasse um bom cliente, cujo interesse não recairia exatamente naquela propriedade, eu anotava suas informações de contato, oferecia-me para lhe mostrar as outras propriedades o mais rápido possível, e o presenteava com sorvete. Para onde ele iria em um dia quente de verão com dois litros de sorvete? Na maioria dos casos, voltaria para casa, seja para comê-lo ou para colocá-lo no refrigerador. Foi a minha maneira de evitar que os clientes potenciais visitassem quaisquer outras propriedades sem a minha presença.

## O PRODUTO ATENDERÁ ÀS NECESSIDADES DO CLIENTE, MAS ELE ESTÁ PRONTO PARA ADQUIRI-LO?

Na verdade, há mais uma etapa na estratégia de qualificação que pode fazer toda a diferença. Depois de se informar sobre as necessidades do cliente, pergunte se ele está pronto para adquirir o produto. Tenha cuidado aqui. Isso é muito diferente de fazer uma pergunta final — perguntar se pode emitir a ordem de compra. Nesta fase da demonstração, você qualifica os clientes quanto à sua capacidade e desejo de fazer uma decisão de compra *agora*, e não daqui a seis meses. Você ainda não está lhes pedindo a decisão em si. Não pode fazer isso. Você ainda não apresentou uma solução!

Eis aqui algumas sugestões de como você pode lidar com essa situação:

*"Sr. Jackson, se tivermos sorte e encontrarmos a solução ideal para você hoje, em quanto tempo gostaria de começar a usar a empilhadeira?"* Alguns clientes podem gostar do que você tem a oferecer e serem qualificados, mas, simplesmente, talvez não estejam preparados no momento. Quem sabe dentro de seis meses eles não comecem a usar o seu produto? Talvez tenham de incluí-lo no orçamento do próximo ano fiscal. Até lá, pode ser que você já esteja com uma estrutura de preços diferente ou, até mesmo, uma nova linha de produtos, dependendo do seu ramo de negócios. Você precisa saber quais são os prazos do cliente antes de investir muito tempo apresentando a solução atual.

*"Barb, qual é o procedimento que vocês adotam para dar início a um novo serviço como o nosso?"* Barb pode ser a pessoa de contato de um conselho consultivo. Talvez o conselho se reúna uma vez por mês. Você precisa saber disso antes de fazer a melhor demonstração possível. Em vez de fazê-la somente para Barb, deve apresentá-la a todo o grupo. Tudo o que você tentará vender a Barb hoje é a possibilidade de estar diante do grupo na próxima reunião.

Quando se trata de conselhos consultivos, é preciso saber quem são os integrantes do conselho e quais são os seus cargos. As opiniões de alguns podem pesar mais do que as de outros. Você precisa saber disso enquanto estiver preparando sua demonstração. Por exemplo, se ficar sabendo que Scott Baker, do departamento de finanças, tem a palavra final depois de proferida a decisão do conselho, seria melhor aprimorar o aspecto financeiro de sua demonstração. Se for Madeline Paxton, do departamento de criação, quem tiver a palavra final, você desejará que a sua demonstração seja visualmente atraente.

Quando chegar à fase de demonstração e houver mais de uma pessoa responsável pela tomada de decisão, é muito importante fazer bom contato visual com todos os presentes. Se estiver vendendo para consumidores residenciais e o pequeno Johnny estiver sentado no colo da mamãe, você também precisa incluí-lo na conversa. Caso contrário, ele pode decidir que precisa ser o centro das atenções da mãe, e você perderá o controle.

Eis aqui outro exemplo de como perguntar se o cliente está pronto para tomar uma decisão: *"Mike, se tudo o que estivermos abordando aqui fizer algum sentido, você está preparado para avançar?"* Caso Mike precise obter um financiamento de qualquer espécie antes de adquirir os seus produtos, talvez ele tenha de se qualificar para um empréstimo bancário antes de prosseguir. Lembre-se, o processo de qualificação deve determinar não apenas se o seu produto atenderá às necessidades dos clientes, mas se os clientes estão ou não financeiramente qualificados para adquiri-lo.

Mencionamos isso no capítulo anterior, mas vale a pena reiterar aqui. Ao abordar os aspectos financeiros, abra o tópico com a frase: *"Não quero ser intrometido, mas..."* Você informa saber que esses assuntos são considerados confidenciais ou pessoais. Ainda assim, você continua tentando obter informações valiosas das quais precisa.

*"Para que sua equipe se adapte a este novo software, recomenda-se um treinamento. Quando você gostaria que todos estivessem usando o software de maneira satisfatória?"* Se o seu produto exigir que os usuários finais recebam treinamento, esse prazo precisa ser informado logo no início. Um cliente potencial não pode ser levado a pensar que sua equipe conseguirá utilizar o software intuitivamente. Se você tem conhecimento de que, normalmente, são necessários três meses para que as empresas dominem o uso do software, deve ser franco sobre tal prazo durante a sequência de qualificação. Talvez a empresa se desqualifique caso esteja precisando de uma solução mais rápida ou não seja capaz de treinar seu pessoal em tempo hábil. Ou, se ela mantiver equipes em locais diferentes, talvez você precise oferecer vários dias de treinamento ou um treinamento on-line, para executar a tarefa no tempo oportuno e de forma econômica.

*"Bill e Sue, se o que estivermos oferecendo parecer razoável, quem, além de vocês, tomaria a decisão final?"* Mesmo que esteja trabalhando com um casal que pareça financeiramente estável, ele pode estar dependendo da avó ou do tio Pete para financiar a compra. Se assim for, a avó e Pete talvez tenham

de ser consultados antes que você possa fechar a venda. Você precisa saber disso antes de fazer uma demonstração completa e tentar concluir a venda.

## QUANDO CHEGA A HORA DE TRABALHAR COM MAIS CLIENTES

Se Polly, agente de compras, estiver encomendando menos do que o normal, você tem todo o direito de lhe fazer algumas perguntas para descobrir o motivo. Não considere isso como uma afronta ou como a perda do seu negócio. Talvez seja a hora de qualificá-la para algumas necessidades novas ou diferentes.

Porém, faça um favor a si mesmo e tire suas dúvidas após a finalização da ordem de compra. Fazê-lo de antemão pode comprometer o pedido. Há sempre uma possibilidade de que seu cliente possa se ofender com as suas perguntas, mesmo que você seja muito hábil ao fazê-las.

É importante que formule sua pergunta sem parecer que está curioso para saber se aconteceu algo de ruim na empresa do cliente. Nunca diga ou faça algo que possa ser interpretado dessa forma. Você faz parte da equipe do cliente, e deve estar preocupado com o bem-estar dos seus negócios. Suas perguntas e comentários devem retratar isso.

*"Obrigado por sua encomenda, Polly. Apreciamos o progresso do seu empreendimento. Mas vocês encomendavam, normalmente, 5 mil unidades. Estou percebendo que seus pedidos diminuíram, e gostaria de saber o motivo. Seus clientes estão interessados em algo diferente, ou será que você está sentindo os efeitos do atual clima de negócios, assim como tantas outras empresas?"* Talvez Polly

esteja comprando alguns produtos novos em outro lugar para oferecer a seus clientes. Se isso estiver acontecendo, você precisa ser o primeiro a suprir essa necessidade, caso tenha os produtos indicados. Talvez Polly não tenha pensado em lhe pedir informações sobre outros produtos se o concorrente Bill apareceu primeiro com algo diferente. Ou Polly pode estar intencionalmente se desvencilhando dos seus produtos, porque eles não são mais necessários ou por ter encontrado algo mais econômico. Você precisa agir rapidamente em qualquer uma dessas situações.

Se a empresa de Polly estiver sentindo os efeitos de uma variação negativa no mercado ou no próprio setor, seria aconselhável conversar sobre o que está acontecendo. Se você ainda não sabe como abordar o assunto, busque informações junto a outras fontes sobre o que está se passando no setor de Polly, e avalie se é possível oferecer novas ideias para ajudar a empresa dela.

Se lhe parecer que, por algum tempo, as encomendas diminuirão, é necessário considerar como isso impactará seus resultados finais e, possivelmente, terá de encontrar um outro cliente para preencher essa lacuna. Seu objetivo será ajudar sempre os seus clientes, mas você também deseja que seus rendimentos se mantenham no mesmo nível ou aumentem.

Se surgir uma situação em que alguém estiver encomendando quantidades menores ou com menor frequência, seria uma boa ideia solicitar algumas indicações qualitativas. Se tiver atendido bem às necessidades daquele cliente até aqui, ele pode se sentir mal a respeito do impacto que sua própria crise pode ter sobre você. Isso pode levá-lo a se sentir, de alguma forma, obrigado a ajudá-lo, dando-lhe algumas indicações para novos negócios, desde que você tenha ido além com ele quando ele precisou. Nunca aceite de maneira passiva a diminuição das encomendas de um cliente e lhe deseje boa sorte. Isso é o que vendedores medíocres fazem. Você é um campeão. Você está sempre se esforçando para encontrar a melhor solução para todas as partes, inclusive para si mesmo.

## QUALIFIQUE-SE O TEMPO TODO

Em tempos difíceis, talvez seja necessário requalificar continuamente os clientes atuais. A Fastco Manufacturing pode ser um bom cliente enquanto estiver cumprindo três turnos por dia. Mas se houver qualquer mudança em sua produtividade, como o corte de um dos turnos, as necessidades podem mudar... e talvez os seus serviços também precisem ser modificados.

Se a Carol's Cookie Cupboard estiver experimentando um crescimento nos negócios, talvez precise de mais coisas do que você está lhe fornecendo no momento. Seja atencioso com o tempo do cliente — especialmente se o empreendimento dele estiver em ascensão —, mas se prepare para fazer perguntas. É aconselhável vasculhar a memória e se lembrar de sua venda inicial com aquele cliente, para constatar se as necessidades mudaram.

*"Carol, quando investiu em seus dois primeiros fornos comerciais, você tinha acabado de se mudar para este espaço. Olhe para você agora! Seu negócio se expandiu e está ocupando outra parte do edifício. Você tem três padeiros novos na equipe e está entregando gratuitamente em domicílio. Não está orgulhosa dessa conquista? Estou curioso — com esse progresso todo, em quanto tempo acha que terá necessidade de um terceiro forno?"* Talvez Carol não

tenha sequer conseguido pensar nisso, por conta de seus dias ultra-atarefados. Quando você trouxer o assunto à tona, ela pode perceber o quanto poderia ser mais produtiva com um terceiro forno e concluir que este é o momento de ampliar as instalações de sua cozinha.

## ELIMINANDO PREOCUPAÇÕES DE DINHEIRO

Um dos melhores resultados de um processo de qualificação apropriado é evitar que as objeções orçamentárias interfiram posteriormente na venda. Embora eu tenha advertido sobre a necessidade de abordar a questão financeira logo no começo de uma demonstração — antes de encontrar a oportunidade para construir valor —, recomendo que você perceba qual o montante aproximado que cada cliente está esperando investir para atender às próprias necessidades. É bem provável que encontre clientes potenciais sem absolutamente nenhuma ideia de quanto custam serviços como os que você oferece. Eles podem ter subestimado grosseiramente sua própria situação financeira e não terem ideia do quanto custa fazer determinada compra.

É possível lidar com a questão do dinheiro de várias maneiras. Você pode perguntar quais foram os produtos similares que eles pesquisaram. Com tantas informações disponíveis on-line, é altamente improvável que encontre clientes sem absolutamente nenhuma ideia da faixa de investimento necessária para adquirir os seus produtos, mas não é algo incomum. Além disso, se o seu produto tiver vários modelos, com investimentos drasticamente diferentes, será importante saber qual nível de investimento eles tinham em mente.

Quando mencionarem um modelo particular, você deve resumir rapidamente suas características. Então, informar o quanto ele custa em termos genéricos. *"Este modelo inclui _________ e o investimento inicial é de US$ _________."* Se for mais do que estavam esperando, provavelmente eles lhe dirão. Se não recuarem diante desse investimento, faça perguntas sobre as características e os benefícios oferecidos pelo modelo seguinte, que pode se revelar mais indicado às suas necessidades. Talvez alguma característica deste modelo tenha passado despercebida em suas pesquisas e eles estejam esperando isso do modelo inferior. *"O modelo X+ também inclui _________; e isso o ajuda a _________. Isso lhe pareceria útil?"*

Outra maneira de abordar o assunto do dinheiro é mencionar seus outros clientes. *"Patty, muitos dos nossos clientes mais satisfeitos investiram algo em torno de US$ 5 mil em nossos produtos. Outros, mais afortunados, investiram mais de US$ 7.500, e há aqueles clientes felizes, com um orçamento um pouco mais limitado. Normalmente, eles investem cerca de US$ 3 mil conosco. Posso perguntar em qual nível de investimento você se sentiria mais confortável?"* Sem dúvida, isso é muito melhor do que perguntar: *"Então, quanto você está pensando em gastar?"*

Depois de obter um valor aproximado, você saberá quais produtos apresentar, e terá acabado de eliminar uma possível objeção de preço no futuro. O cliente não pode recuar e dizer que custa muito caro, depois de já lhe ter dito que previa investir aquele valor ou um pouco mais.

Consegue perceber agora o poder de um processo adequado de qualificação? Esse é o segredo do sucesso dos campeões em vendas de todo o mundo.

## RESUMO

- A qualificação é a etapa que faz mais diferença no seu volume de vendas.
- Por meio da qualificação adequada, seus clientes potenciais revelarão o que desejam possuir.
- Você elabora uma lista de critérios do que seria um cliente bem qualificado para o seu produto.
- Você conhece muitas maneiras de perguntar aos clientes em quanto tempo eles precisam da solução e quanto esperam gastar.
- Você tem um plano sobre como tratar os clientes potencialmente qualificados quando os conhece em situações não comerciais.

# 8. Reduzindo a resistência às vendas

*Metade das preocupações do mundo é causada por pessoas que tentam tomar decisões antes de ter conhecimento suficiente para fundamentar uma decisão.*

DEAN HAWKES

A preocupação é uma emoção desperdiçada. Ela consome tempo. Esgota a sua energia. Prejudica seu sono e afeta negativamente a sua produtividade. Quem escolheria conscientemente tal coisa? Não muitos de nós, se realmente pensássemos sobre isso. No entanto, a preocupação, para a maioria, é uma reação inconsciente a coisas que acontecem em nossas vidas. Tornou-se um hábito.

Uma frase que se ouve bastante é: "Descobri que estava me preocupando..." *Descobriu?* Parece que as pessoas que se preocupam são as que estavam perdidas. Se esse for o seu caso, vamos consertar isso.

A melhor saída para a preocupação é a Oração da Serenidade: *"Deus, conceda-me serenidade para aceitar as coisas que não posso mudar; coragem para modificar o que posso mudar; e sabedoria para perceber a diferença.*" Se você estiver preocupado com alguma coisa, faça a si mesmo esta pergunta: *há algo que eu possa fazer para mudar aquilo que está me preocupando?* Se houver, aja nesse sentido — mesmo que sua primeira ação seja apenas investigar o motivo da preocupação, ou, até mesmo, identificá-la e registrar por escrito o que você pode fazer quanto a isso.

Se não houver nada que possa ser feito, diga a si mesmo em voz alta: "Pare de perder tempo e energia se preocupando." Sei que isso soa simplista, mas se pensar um pouco, acho que concordará que faz todo o sentido. E se você colocar em prática essa pequena estratégia várias vezes ao longo de um mês, perceberá que acabará se preocupando menos e realizando mais. Estudos têm demonstrado que, no caso das pessoas que se preocupam cronicamente, 90% das coisas com as quais elas se preocupam nunca acontecem. Alguns usariam isso como um argumento *para* se preocupar: "Se eu me preocupar, provavelmente isso nunca vai acontecer." Converter o seu "tempo de se preocupar" em ações é muito mais benéfico e tem muito mais chances de lhe trazer um resultado final positivo.

Agora vamos analisar como a preocupação afeta a sua atividade nas situações de vendas. É um elemento importante a ter em conta. Seus clientes potenciais se preocupam em tomar boas decisões. Preocupam-se em saber se o produto fará ou não o que você afirma. Preocupam-se com a humilhação de tomar uma decisão ruim. Preocupam-se em assumir compromissos financeiros. Talvez seus clientes não tenham consciência de todas essas preocupações, mas elas estão lá, criando algo chamado resistência às vendas.

A resistência a "ser vendido" é, provavelmente, a causa número um para que vendedores medíocres não realizem suas vendas. Eles não refletem muito sobre isso, nem se preparam para enfrentar tal resistência durante o contato que travam com os clientes. Provavelmente, esses vendedores relatarão experiências similares a ter de derrubar uma parede de tijolos ao tentar persuadir clientes potenciais a investir em seus produtos ou serviços. E, infelizmente, eles consideram essa parede de tijolos como um obstáculo intransponível para efetivar a venda. Eles podem tentar empurrá-la por um tempo, mas raramente pensam ou se esforçam em escalá-la, passar por trás dela ou abrir uma porta naquela parede — ou, pelo menos, uma janela (de oportunidade).

Os profissionais campeões de vendas entendem que as paredes de resistência às vendas são derrubadas da mesma forma como foram erguidas — um tijolo de cada vez. Embora elas possam ser construídas muito rapidamente, trata-se de um processo que, uma vez compreendido, pode ser retardado ou, até mesmo, interrompido.

Vamos começar com a fundação dessa parede de resistência. Você é um vendedor. Você e os clientes sabem que o seu trabalho é fazer com que o produto saia de sua lista e passe para a deles. Assim, de modo geral, a maioria das pessoas é resistente aos vendedores. É por isso que, desde o começo do livro, viemos abordando inúmeras estratégias para fazer com que os clientes potenciais o considerem amigável, útil, competente e confiável. Todas essas características ajudam a derrubar aquela parede de resistência.

Se você tem dúvidas de que as pessoas são naturalmente resistentes aos vendedores, pense em quantas vezes já disse ou ouviu estas palavras: *"Não, obrigado. Estamos apenas olhando."* Essa frase é o padrão para dispensar um vendedor quando você está apenas olhando ou quando não pretende revelar as suas necessidades de consumidor. Em alguns casos, as pessoas simplesmente não querem falar conosco. Isso se deve a um velho e infeliz estereótipo sobre os vendedores: o de que são pouco profissionais e só querem empurrar os produtos para cima dos clientes. Na realidade, todo mundo trabalha para ganhar dinheiro, seja na área de vendas ou em qualquer outro campo, mas a má reputação tem recaído há décadas sobre os vendedores por causa das práticas desonestas de um pequeno grupo.

Pouquíssimos clientes concordarão em investir tempo com você se já tiverem erguido uma parede de 3 metros de altura de resistência às vendas. Você nunca chegará até eles. Portanto, o fato de ter uma hora confirmada para conversar com alguém (ou se os clientes o tiverem procurado) revela que há algum interesse em sua oferta, uma necessidade — e, possivelmente, aquela janela de oportunidade. O seu trabalho é manter essa janela aberta. Não é colocar mais tijolos para deixar a parede maior e mais sólida, mas, sim, ajudar seus clientes a perceber que não há necessidade de nenhuma parede. Você os ajuda a vislumbrar essa nova realidade por meio da informação.

A essência da arte de vender é informar os outros. É por isso que tantos professores se mostraram tão bem-sucedidos ao se afastar da docência e se transferir para a área de vendas. Eles foram treinados para prender a atenção da classe, despertar sua curiosidade e ajudá-la a dominar o assunto de forma envolvente. Quando o conhecimento é adquirido, a confiança cresce, e o desejo e a capacidade de tomar decisões sobre determinado assunto aumentam dramaticamente.

Pense nisso. Como se comportou ao comprar seu primeiro computador? Se você estava animado para ter um, é provável que tenha tomado uma decisão rápida, apenas para tê-lo logo em suas mãos. Mas ficou feliz a longo prazo? Talvez sim. Talvez não. Se não ficou totalmente satisfeito, o que aconteceu quando decidiu fazer um *upgrade*? Você procurou informações. Pediu conselhos e recomendações a amigos, parentes e colegas de confiança. Talvez tenha feito uma pesquisa comparativa on-line. Pode ser que tenha pesquisado preços, à procura do menor investimento ou do melhor serviço pós-venda. O conhecimento adquirido nesta fase do ciclo de compra lhe deu a confiança de que você precisava para tomar uma decisão que lhe parecesse sábia. É assim que a maioria dos consumidores funciona.

Seu objetivo como vendedor deve ser informar seus clientes. Você deseja ser visto como um conselheiro de confiança. Precisa demonstrar que tem conhecimento suficiente para fazer uma comparação correta entre a sua marca e a de seus concorrentes. E precisa ser exato sobre as informações dos atuais investimentos necessários para os seus produtos e os similares de outros fornecedores. Para isso, é preciso trabalho — tempo e esforço — de sua parte. Sendo um profissional de vendas dedicado, você deve estar acostumado a trabalhar dessa forma.

## TIJOLO POR TIJOLO

Mencionamos que o fundamento da resistência a vendas é o medo de "ser vendido". Seus clientes potenciais continuarão sentindo esse medo, até que você os conquiste e seja reconhecido como uma pessoa boa e de confiança, e identifiquem o seu produto como uma solução maravilhosa para as suas necessidades.

Uma parede de resistência às vendas raramente é erguida instantaneamente. Ela cresce camada por camada. Inicialmente, cada cliente faz uma avaliação sobre você, sobre a sua pessoa. Alguns fazem isso conscientemente. Para outros, a reação inicial é subconsciente.

Se você lhes parecer razoavelmente sedutor, isso é bom, mas saiba que eles ainda terão o medo como base. Se a sua roupa ou aparência for desleixada ou pouco profissional, você acaba de colocar a primeira fila de tijolos na parede. Se não conseguir estabelecer bom contato visual, dar um firme aperto de mão ou um sorriso, novas filas serão acrescentadas.

Se o seu cliente potencial for uma equipe, um conselho consultivo ou um casal, e você se dirigir mais a um dos membros do que aos outros, mais tijolos serão colocados. Entretanto, quando isso acontece, sua parede não se torna, necessariamente, tão sólida. Se a parte para quem estiver direcionando mais a sua demonstração for a parte favorável, a parede pode começar a crescer de forma irregular. Ainda assim, trata-se de uma parede. Se o oposto for verdadeiro e você estiver dando mais atenção a uma parte que não tenha tanta influência na decisão final, sua parede ganhará mais altura. Esses tijolos extras foram adicionados pela parte que está se sentindo desprezada. Enquanto você a está ignorando, ela está ocupada construindo o obstáculo. Dar a mesma atenção a todas as partes é muito importante.

O segredo é entender que tudo o que você faz e diz tem importância quando se pretende reduzir a resistência às vendas ou mantê-la afastada. Seus esforços iniciais para fazer com que as pessoas gostem de você, confiem em você e queiram ouvi-lo são fundamentais para a forma e o tamanho de qualquer parede de resistência às vendas.

Já discutimos a simpatia em um capítulo anterior. Ser simpático começa com o seu sorriso, seu tom de voz, seu comportamento acolhedor, sua abordagem profissional. Também está relacionado a transmitir uma atitude de sujeição. Seu trabalho como profissional de vendas é atender às necessidades dos outros, lembra? Certifique-se de fazer todo o possível para transmitir essa atitude, e você limitará o número de tijolos que seus clientes potenciais usarão inicialmente.

Portanto, como construir a confiança? Comece demonstrando claramente a seguinte frase: *"Eu estou aqui para servi-lo."* Se não fosse pelos clientes, você não teria esta ocupação, certo? Mostre-se grato pelo tempo que compartilha com cada um dos clientes. É mais do que uma cortesia. É parte de seu trabalho — é um requisito.

Outro aspecto da construção de confiança (em oposição à construção da parede) é encontrar algo em comum com seus clientes potenciais, para além deste encontro. Os seres humanos querem estar perto e trabalhar com pessoas com quem se sintam confortáveis. São as pessoas com quem temos algo em comum. Podemos viver no mesmo bairro, trabalhar na mesma empresa, ter filhos com idades aproximadas, ir às mesmas conferências, torcer para o mesmo time ou fazer parte dos mesmos clubes.

Você não descobre isso contando sua história de vida ou mostrando o seu currículo pessoal para seus clientes. Não cabe a eles encontrar um terreno comum. Cabe a você. Você o encontra, inicialmente, com os olhos. Como é a decoração do escritório ou da casa deles? Se houver algum estilo particular, pergunte se foram eles que escolheram. Se assim for, faça um comentário positivo sobre alguma coisa no ambiente. Pergunte algo que os faça falar sobre isso. Então, comece a procurar um terreno comum com os ouvidos. O tom de voz e o que eles dizem devem lhe dar pistas sobre algo que possam ter em comum.

Se essa tarefa lhe parecer difícil, trate-os como especialistas em algo pelo qual você sempre se interessou (se isso for verdade). Talvez Bob Jackson seja um entusiasta de *fly-fishing**, tenha algumas fotos e, até mesmo, uma antiga vara de pesca na parede de seu escritório. Talvez você nunca tenha pescado em sua vida, mas é possível iniciar uma conversa desta forma: *"Como você começou com* fly-fishing*?"* ou *"Há quanto tempo você gosta de pescar com essa modalidade?"* Eu o aconselharia a não perguntar onde ele costuma pescar. Ele pode desconfiar que você esteja querendo passar adiante a informação sobre aquele local privilegiado.

Percebe como é fácil depositar um tijolo na parede de resistência? Nem precisa ser algo diretamente relacionado à venda. Alguma observação informal e aparentemente inofensiva que você faça pode se transformar não apenas em um tijolo, mas em mais um saco de argamassa para sustentar a parede. É por isso que é tão importante fazer sua lição de casa e se preparar, se preparar e se preparar para cada encontro com o cliente.

Sue e Jerry podem ter dois quadriciclos ou um trailer de acampamento em sua garagem. Não suponha que eles se divirtam juntos ao ar livre, a menos que você também consiga ver fotos dos dois nessa situação. Talvez aqueles hobbies de atividades ao ar livre digam respeito apenas a

---

*Modalidade de pesca em que é usada uma isca leve, em vez das tradicionais iscas pesadas. (*N. do E.*)

Jerry e seus amigos, e Sue fique em casa ou opte por não ir. De qualquer maneira, os quadriciclos e o trailer poderiam se transformar em tijolos. Seria melhor procurar, primeiro, por alguma outra coisa em comum, como dizer-lhes que a casa deles é linda ou falar sobre quem o indicou para este casal tão agradável. À medida que a conversa avançar, é provável que você consiga obter uma ideia melhor sobre a predileção de ambos por aventuras ao ar livre.

Faça o máximo para evitar as condições atmosféricas como um assunto comum, a menos que algo realmente singular esteja acontecendo. Esse é o caminho do vendedor preguiçoso. Falar sobre o clima é algo que, simplesmente, não tem o mesmo refinamento de tantos outros temas possíveis.

Além disso, no caso de você nunca ter ouvido falar, evite temas controversos. Não inicie um encontro com um novo cliente falando sobre política, religião ou assuntos negativos da atualidade.

No momento em que escrevo este livro, eis a explicação padrão para tudo de ruim que acontece no mundo: "É a economia." Estou farto de ouvir isso. Essa frase, essa desculpa para as pessoas que enfrentam desafios em suas vidas pessoais e profissionais me irrita profundamente. Nós, vendedores, lidamos com pessoas, e são as pessoas da região, do país ou do mundo que fazem as coisas acontecerem. A "economia" não é uma força externa extraordinária, que nos obriga a fazer coisas que não queremos. Seguirei meu próprio conselho e não tratarei das questões políticas envolvidas; me concentrarei apenas no nível pessoal. Admitamos, há algumas pessoas que estão reduzindo suas atividades em decorrência de situações que fogem ao seu controle, mas essas limitações se devem mais à falta de lastro econômico para este inevitável dia de turbulência do que a qualquer outra coisa. Algumas pessoas estão passando por aflições financeiras ou de outra natureza devido às más decisões que tomaram no passado. É algo pessoal, e elas não podem culpar ninguém, a não ser o rosto que veem refletido no espelho todas as manhãs.

Muitos de nós nos tornamos mesquinhos e assumimos riscos, e não nos preparamos para a possibilidade de as coisas saírem dos trilhos. Em vez de admitir que o problema é nosso, culpamos as fontes externas e imploramos que o governo conserte o estrago. Ao se referir a situações complicadas como essa, o famoso humorista Will Rogers costumava dizer: "Se a ignorância nos levou a esta bagunça, por que não pode nos tirar dela?"

Se você estiver em um buraco profundo, em vez de esperar que alguém lhe jogue uma rede, por favor, pense sobre como você foi parar lá e o que pode fazer para se salvar. A responsabilidade é uma característica predominante em pessoas verdadeiramente bem-sucedidas ao longo da vida.

Entenda que o tom com que você inicia qualquer contato com o cliente prepara o terreno para as próximas etapas do processo de vendas. É preciso que esse tom seja simpático e acolhedor — propício para um encontro agradável. É preciso, também, que ele esteja voltado para a solução. Não importa a gravidade do contexto de seu cliente; você está lá para ajudá-lo a melhorar as coisas. Ele fez a coisa certa ao convocá-lo ou ao aceitar o seu chamado. Esse encontro deve ser percebido como um movimento na direção certa.

Outros tijolos potenciais na enorme parede de resistência às vendas aparecerão à medida que você começar a sua demonstração. Os materiais de demonstração devem estar em perfeitas condições. Os folhetos não devem conter quaisquer marcas de dobra em lugares errados ou rasgos, e tampouco uma impressão de má qualidade. O seu laptop deve estar limpo. O desktop do seu computador deve estar organizado. Na verdade, tudo o que deve constar nele são os *links* para os materiais dessa demonstração específica. Sua tela inicial deve ser simples e objetiva.

Você pode pensar que isso é bobagem, mas se escolher a fotografia favorita de seus entes queridos para exibir na tela do computador, como a maioria das pessoas faz, isso pode se tornar um fator negativo junto a seus clientes potenciais.

Se você tiver um bebê lindo e eles não tiverem filhos...

Se desfrutou de férias maravilhosas no litoral e eles não tiram férias há anos...

Se estiver com uma lata de cerveja na mão e eles forem radicalmente contra o consumo de álcool...

Não faça nada — absolutamente nada — que possa afastá-los do que você tem a dizer ou distraí-los de sua demonstração. Toda e qualquer distração só deve ser criada por razões muito específicas, isto é, desde que esteja relacionada à venda de seu produto ou serviço. Você quer incentivar clientes a ouvi-lo, lembra? Se estiver totalmente concentrado em atender às suas necessidades, eles o ouvirão. A cada segundo, com base no que os clientes veem ou ouvem, as emoções podem ser transformadas. Queremos evitar as emoções negativas e criar apenas as positivas.

Vamos analisar o que você apresentará aos seus clientes potenciais. Se você costuma usar uma demonstração padrão e optar por pular alguns pontos que não se aplicam aos consumidores John e Mary ou à agente de compras Sara, talvez você os faça se perguntar o que aqueles pontos estão fazendo ali, ou o que eles estão perdendo. É sempre melhor preparar uma demonstração mínima e ter informações adicionais ao seu alcance, se considerar conveniente mencioná-las quando se aprofundar nas necessidades dos clientes. As pessoas costumam reagir bem quando você acrescenta informações pertinentes em uma conversa, mas tendem a ficar desconfiadas se o conteúdo que está ali à sua frente é omitido ou não é explicado. Quaisquer dúvidas levantadas durante o processo de informação podem fazer com que os clientes se preocupem, hesitem e adiem a tomada de decisão.

A forma como você lida com quaisquer objeções ou preocupações levantadas pelos clientes potenciais também impacta a resistência às vendas. Nem sempre as preocupações são sinônimos de tijolos. Por favor, não assuma isso como um fato. A maioria delas é, simplesmente, um pedido de esclarecimento. Seus clientes potenciais querem compreender melhor um ponto ou outro. Eles podem manifestar algumas de suas preocupações apenas para retardar um pouco o processo de compra e tentar racionalizar a decisão que estão se sentindo obrigados a tomar. Se você mudar de atitude ao ouvir uma objeção e se tornar mais agressivo ou questionador, estará entregando tijolos aos seus clientes e manejando você mesmo a espátula de cimento. Nunca fique na defensiva ao ouvir uma objeção. Basta encará-la como uma solicitação de mais informações. Quanto mais calmo você se mantiver ao lidar com as objeções, maiores serão as probabilidades de os clientes também ficarem emocionalmente equilibrados.

Outros tijolos potenciais dizem respeito a falhas técnicas durante a sua demonstração, fazer uma pergunta de fechamento antes da hora, pronunciar ou soletrar errado o nome do cliente, fazer piadas inadequadas ou na hora errada e fazer perguntas pessoais de forma invasiva.

Ao incorporar as estratégias positivas abordadas neste livro, você trabalhará constantemente para derrubar aquela parede de resistência. Algumas estratégias derrubam apenas um ou dois tijolos. Outras vão derrubar blocos inteiros. Pense nisso como um jogo. Consegue remover os tijolos mais rapidamente do que eles são colocados? Ou, ao contrário, está fazendo e dizendo coisas que contribuem para que os clientes reforcem a parede? Quando você começar a trabalhar no mais alto nível de profissionalismo, haverá tão poucos tijolos que a parede de resistência às vendas se tornará inexistente. Na verdade, em breve você e seus clientes estarão do mesmo lado.

## OS MAUS TOMADORES DE DECISÃO

*Quando você tem de fazer uma escolha e não a faz, isso, em si, já é uma escolha.*

William James

Fatalmente, ao longo da profissão de vendedor, você conhecerá algumas pessoas que, simplesmente, são incapazes de tomar uma decisão. É lamentável, mas a verdade é que milhões de pessoas passam pela vida sem tomar nenhuma decisão ou tomando decisões ruins com bastante frequência. Embora seja impossível fazer opções sábias o tempo todo, há pessoas que têm tanto medo de assumir a responsabilidade da escolha que deixam que os outros controlem suas vidas. Algumas pessoas temem tanto tomar a decisão errada que evitarão situações em que tenham de fazê-lo. Como é triste deixar o curso de sua vida ser decidido por outros — ser manipulado pela multidão, em vez de se posicionar e interagir com a vida na condição de indivíduo.

É de se esperar que, pertencendo ao ramo do comércio interempresarial, você encontrará poucos agentes de compras que não estejam qualificados a tomar decisões. Afinal, tomar decisões sábias para suas empresas é o trabalho deles. No entanto, não imaginemos que esse será o caso o tempo todo. Alguns de meus alunos relataram histórias de agentes de compras que cultivavam maneiras muito estranhas de tomar decisões. Outros conheceram pessoas que impunham demandas inacreditáveis sobre o vendedor para que ele conquistasse os seus negócios; outros, ainda, foram quase criminosos em suas atividades como representantes de compras. Isso acontece.

Por mais que tente, você não será bem-sucedido com todos os clientes potenciais. Alguns optarão pela concorrência, mesmo que, no íntimo, saiba que o seu produto é a melhor opção para eles. Simplesmente, os clientes não têm a mesma paixão pelo produto que você. Em alguns casos, eles podem comparar os produtos com base em critérios diferentes do que você está acostumado. Ou podem não perceber o valor de certas características que são o diferenciador do seu produto.

Se um agente de compras tomar uma decisão que você considere ruim, seja elegante ao perder o negócio. Deseje-lhe boa sorte e obtenha sua permissão para contactá-lo de vez em quando. Se estiver certo em sua avaliação, no fim ele perceberá o erro que cometeu. Você desejará estar pronto no dia em que ele entrar em contato procurando um produto ou um serviço melhor (mas não se iluda, porque isso não acontecerá tão cedo assim). Se e quando ele voltar a procurá-lo, tome cuidado para nunca tripudiar sobre o fato de que você estava certo. Apenas aprecie essa nova oportunidade e a honra de poder servir às necessidades dele.

Se a decisão tiver sido realmente ruim, talvez você seja contactado por um novo agente de compras daquela empresa. Caso isso aconteça, perceba que será necessário construir esta relação como se fosse um contato inteiramente novo, mesmo que você acredite ter algum tipo de passado com eles. Há uma grande probabilidade de os novos agentes de compras estarem encarregados de consertar a bagunça feita por outra pessoa. Não é sua intenção sublinhar que você fazia parte daquela bagunça — mesmo que eles nunca tenham optado pelo seu produto.

Além disso, nunca denigra a pessoa que ocupou aquele cargo anteriormente. Ela pode ter assumido outro posto e talvez ainda esteja exercendo influência sobre a escolha de fornecedores. Se lhe perguntarem sobre a pessoa de contato anterior, permaneça neutro. Não se permita ser colocado na berlinda. Você pode usar frases deste tipo: *"Ela tinha uma maneira interessante de tomar decisões."* Ou: *"Parecia que ele trabalhava duro."* Não se comprometa, e você não terá de se preocupar com o tipo de impressão que causará em um novo funcionário.

Se você estiver trabalhando com uma empresa ou com consumidores, estes tomadores de decisão querem se sentir confiantes sobre suas escolhas, ficar satisfeitos com os benefícios dos produtos e serviços que escolhem e receber um excelente serviço pós-venda. Tudo o que você diz e faz durante suas demonstrações precisa evidenciar que é exatamente isso o que vai acontecer. Pode até interpor comentários em sua demonstração, tais como:

*"Depois do que conversamos hoje, esta característica do produto não faz com que você se sinta mais confortável?"*
*"Mary, esta informação atende à sua preocupação sobre...?"*
*"Agora que você percebe o grande potencial de melhoria, deve estar se sentindo melhor sobre sua situação, não é?"*
*"É aconselhável fazer uma pesquisa extensiva sobre esta linha de produtos"*
*"Não é bom saber que as suas necessidades foram tão claramente definidas?"*
*"Você não está contente por estarmos analisando isso hoje?"*

Essas perguntas e afirmações têm como objetivo fazer os clientes se sentirem à vontade durante o encontro e tomar ciência do que você pode oferecer para atender às suas necessidades. Seu trabalho não está relacionado apenas ao produto, mas aos sentimentos provocados nos que estão tomando decisões. Está relacionado a imaginar mentalmente que as coisas podem ser melhores do que eram antes de a decisão ser tomada — antes dessas pessoas o conhecerem. Está relacionado ao resultado final da decisão, que deixará os clientes mais confortáveis do que estão atualmente.

As pessoas costumam tomar uma série de medidas quando se sentem desconfortáveis. De modo geral, todos nós queremos conquistar algum nível de conforto, seja ele físico ou mental. Quando sentimos qualquer tipo de dor, nossas mentes automaticamente começam a pensar no que pode ser feito para reduzir a dor ou, então, eliminá-la completamente. Somente quando a mudança nos é imposta ou surge como um imprevisto é que a consideramos dolorosa.

A dor da mudança é um dos quatro fatores de desestimulação que tenho ensinado as pessoas a superar. Isto pode surpreendê-lo, mas tudo que você precisa fazer para enfrentar qualquer mudança dolorosa em sua vida é pensar na razão pela qual está escolhendo mudar. O que está tentando conquistar? Como se sentirá depois disso? Caso se sinta estimulado a atingir o resultado final da mudança, ou seja, o seu objetivo, isso se converte em algo que você precisa atingir. Quando precisamos de alguma coisa, não conquistá-la é que se torna doloroso. A dor da mudança passa a ser a dor de permanecer no mesmo lugar.

Aprenda a aplicar essa estratégia aos responsáveis pela tomada de decisão, e você logo estará cercado de clientes mais felizes, que se sentirão muito confortáveis com o seu produto e o seu serviço.

## DO QUE OS CLIENTES TÊM MEDO?

Em tempos difíceis, você terá de trabalhar mais e ser mais paciente com os clientes potenciais que protelam suas decisões por causa do medo. Em um dos mais sombrios momentos da história norte-americana, o presidente Franklin D. Roosevelt definiu muito bem esse tema ao afirmar: *"A única coisa que temos a temer é o próprio medo."*

O medo pode ser muito paralisante. Considere o que acontece com os cervos quando os faróis de um veículo que se aproxima os deixa cegos. Eles sentem medo, e por isso reagem não fazendo nada. Se simplesmente se movessem em alguma direção, o motorista naturalmente compensaria, movendo-se na direção contrária, com um resultado bastante satisfatório tanto para o animal quanto para o ser humano.

Quando alguém está com medo de tomar uma decisão, você ouvirá respostas defensivas, tais como: *"Preciso refletir."* *"Quero pensar melhor."* *"Tenho de levar isso para o conselho."* (mesmo que você nunca tenho sido informado sobre a existência de um conselho) *"Vou esperar trinta dias, sessenta dias ou até três meses para tomar uma decisão."* *"Eu ligo de volta para falar sobre isso."* *"Quero que a minha decisão seja avaliada por outra pessoa."* *"Simplesmente, não estou pronto para decidir."* *"Quero pesquisar um pouco mais antes de tomar uma decisão."* *"Acho que preciso fazer um levantamento de preços."*

Quando você ouvir alguma coisa nesse sentido de seus clientes potenciais, seu trabalho passará a ser identificar a causa do medo. Se o seu trabalho como vendedor estiver começando a soar mais como o trabalho de um psicólogo, você está certo sob muitos aspectos. Há tantas nuances nesse negócio que eu poderia escrever sobre isso para o resto da minha vida e, ainda assim, não conseguiria abranger tudo.

Bem, do que os seus clientes têm medo? Falamos sobre os medos de tomar uma decisão ruim e se sentir humilhado. Mas você tem de considerar as especificidades de cada cliente e de cada situação.

John e Mary estão com medo de comprometer US$200 mensais por um serviço de telefonia móvel e um contrato de serviço de dois anos? E se outra empresa respeitável oferecer um plano melhor depois de eles terem feito o acordo? Como vão se sentir? O que farão?

Bill está preocupado em encomendar mil unidades (porque isso significaria o menor custo unitário), imaginando que, logo depois, o mercado pode se retrair e o material ficar encalhado por anos?

Embora todos saibamos que ninguém é capaz de prever o futuro, nós, como vendedores, devemos nos empenhar ao máximo para garantir a satisfação dos clientes mesmo depois de terem adquirido os nossos produtos. Novamente, devemos ter sempre em mente aquilo que é realmente bom para eles. Não queremos que os clientes retornem em um mês ou algo assim, dizendo: "Eu nunca deveria ter tomado esta decisão." Ainda que a decisão tenha sido deles, é possível que estejam guardando certo rancor, porque, afinal de contas, você foi uma das partes envolvidas. Há um risco de você perder o negócio a longo prazo, o respeito e quaisquer indicações para novos negócios, que teria conseguido caso a decisão inicial tivesse sido realmente boa para eles. Talvez tenha, até mesmo, de dizer algo deste gênero durante suas demonstrações: *"Bob e Sally, ninguém pode prever o futuro. A solução que estamos discutindo neste momento está voltada para os desafios atuais. Gostaria de poder vê-los dentro de sessenta ou noventa dias e tecer uma recomendação com base neste futuro, mas só posso ajudá-los a partir das necessidades que vocês expressaram aqui hoje."*

Os medos de alguns clientes serão tão fortes que talvez você precise lhes apresentar vários cenários, com base no que poderá acontecer no futuro. *"Se o futuro for promissor, esta seria a melhor solução." "Se as coisas piorarem, a melhor escolha seria..."* Em seguida, apresente a melhor solução para o momento atual; ela deve estar em algum lugar intermediário dessa escala. A maioria das pessoas optará por essa alternativa.

Se você perceber que um cliente está tentando protelar uma decisão, será preciso empregar algumas estratégias para tirá-lo de cima do muro. Eis aqui sugestões de perguntas a fazer:

*"Se isso não acontecer hoje, quando você acha que estará pronto para tomar uma decisão?"* Esperamos que você já tenha descoberto a resposta durante a etapa de qualificação de seu ciclo de vendas; caso contrário, é certo que precisará da resposta agora.

*"O que você acha que poderia mudar em trinta dias para afetar a escolha das soluções?"* Talvez um novo ano fiscal se inicie. Talvez seu cliente esteja prestes a fechar uma grande venda. Se a venda se concretizar, ele terá os recursos necessários para comprar o seu produto. Se isso não acontecer, ele não terá. Provavelmente, o cliente potencial não se sentirá confortável em revelar essas informações, mas você tem o direito de perguntar, desde que tenha feito um bom trabalho até aqui.

*"Quando será a próxima reunião do conselho? Eu ficaria feliz em fazer uma demonstração, de modo a responder todas as dúvidas que eles possam ter."* Nunca, nunca deixe um cliente potencial apresentar a sua oferta para outras pessoas que estejam envolvidas na decisão. Você sempre fará o possível para apresentá-la pessoalmente. Dessa forma, poderá observar as reações à oferta e responder quaisquer perguntas que eles possam ter. Se você não fizer isso, em sua próxima conversa, essa pessoa lhe dirá: *"Sim, expliquei todos os detalhes ao Fulano e ao Sicrano, e decidimos que esta não é a oferta mais adequada para nós."* No mínimo, obtenha a permissão para apresentar algo que você mesmo tenha preparado. Certifique-se de cobrir todos os detalhes discutidos nos encontros com essa pessoa, para que nada seja esquecido. O único desafio, então, será descobrir se todos, de fato, analisarão detidamente o que lhes foi entregue.

Se o seu cliente potencial quiser fazer um levantamento de preços ou alguma espécie de comparação de custos, diga o seguinte: *"Conhecendo o setor como conheço, eu ficaria feliz em ajudá-lo a fazer qualquer pesquisa adicional ou de comparação de custos que sinta ser necessária antes de tomar uma decisão."* Coloque-se na posição de assessor do cliente — alguém que pode ajudá-lo a realizar a tarefa com mais facilidade, de forma mais eficaz ou em um tempo menor.

Com essas perguntas e afirmações, você estará, efetivamente, indo em seu auxílio. Se os clientes estiverem apenas protelando, isso ficará por demais evidente. Se houver realmente a necessidade de esperar a decisão, você desejará reunir o maior número possível de informações sobre o motivo, sobre quem está envolvido e sobre outros elementos que eles sintam ser necessários para que você possa permanecer no páreo. Nunca abandone os clientes proteladores sem obter nenhuma informação adicional. Isso significaria deixar a porta aberta para a concorrência, enquanto você sai de cena.

Seu objetivo é chegar às causas do medo dos clientes. Qual é a verdadeira razão que os faz hesitar? Será que eles simplesmente não têm dinheiro e não querem admitir? Se for isso, a sua empresa oferece financiamento de curto prazo? Exige um investimento mensal? Ela consideraria fazer uma pequena remessa inicial, se houvesse o compromisso de atingir a requisição mínima de pedidos dentro de três meses? Você está sempre procurando por soluções. Elas devem condizer com os parâmetros do que a sua empresa pode ou está disposta a fazer, mas sempre procure por respostas até para os aspectos mais insignificantes da venda, que poderiam causar resistência suficiente para impedir o fechamento daquele negócio.

## RESUMO

- Você aprendeu um método para manter as preocupações sob controle.
- A resistência às vendas é como uma parede de tijolos. Você sabe como os tijolos são acrescentados e como evitar a colocação de novos tijolos.
- Tudo o que diz e faz é com o intuito de ter clientes que gostem de você, confiem em você e queiram ouvi-lo.
- Você reconhece as protelações de decisões e sabe como reagir.
- Você ajuda seus clientes a perceber que somente os desafios atuais podem ser resolvidos hoje.

# 9. Conquistando os clientes da concorrência

Durante os ciclos de bonança em seu setor, provavelmente haverá um número suficiente de clientes para os seus produtos. Assim, em vez de se aproximar de alguém que esteja trabalhando com a concorrência, você irá atrás do negócio mais fácil. No entanto, sempre haverá aquelas contas maiores que justificarão os esforços.

Em tempos econômicos mais tímidos, talvez não haja tantas pessoas tomando decisões sobre adquirir ou não os seus produtos. Isso significa que fazer com que novos clientes abandonem a concorrência seja uma opção importante a considerar. Estratégias para fazer com que os clientes o valorizem mais do que os concorrentes terão de ser empregadas.

*Os negócios são um ótimo jogo — muita concorrência e o mínimo de regras. O dinheiro serve para marcar os pontos.*

NOLAN BUSHNELL

Quando os tempos forem favoráveis e você estiver oferecendo um produto inovador ou moderno, não haverá necessidade de se preocupar excessivamente com a concorrência. O sentimento geral será de abundância de negócios disponíveis. Não se sentirá como se fizesse parte de uma disputa coletiva — competindo para vender. Em outras palavras, você (ou sua empresa) será o líder em seu setor, e a maioria de suas preocupações estará relacionada a atender aos clientes que você já tem e àqueles que o procuram. É uma posição maravilhosa, e espero, sinceramente, que a vivencie muitas vezes em sua carreira de vendedor.

Porém, quando não se é o líder, é necessário olhar não só para a frente, mas para os lados e para trás, a fim de observar o que os outros estão fazendo para conquistar sua participação de mercado. Nesses momentos, você perceberá que estará trabalhando, por vezes, com um alto grau de adrenalina, montando estratégias com colegas de sua empresa para conquistar o negócio dos clientes mais importantes e analisando as ofertas da concorrência à enésima potência. Acredite em mim, tais momentos podem ser muito excitantes e desafiadores — no bom sentido —, desde que você tenha a atitude correta em relação à concorrência.

Como exemplo, um dos meus alunos trabalhou em uma área muito competitiva. Ele e um concorrente pareciam estar disputando acirradamente os mesmos clientes. Para ele, foi frustrante identificar uma empresa com as qualificações adequadas para o seu produto, apenas para descobrir que o Sr. Concorrente já lhe tinha feito uma visita e conquistado o seu negócio.

Em vez de deixar o concorrente ameaçá-lo de forma negativa, ele decidiu conhecê-lo imediatamente. Descobriu seu nome, rastreou uma foto no site da empresa e a imprimiu. Daí em diante, ele nunca mais retirou a foto daquele vendedor de seu bolso.

Não se preocupe... essa história não tem um fim bizarro nem triste. Meu aluno costumava usar a foto como um fator motivacional. Sempre que sentia preguiça, ele pensava naquele outro rapaz. Quando tinha vontade de encerrar as atividades do dia, ele colocava a mão no bolso e olhava nos olhos do outro vendedor. Sabia que aquela pessoa era boa no que fazia e que ele precisava continuar trabalhando se quisesse reivindicar uma parcela significativa daquele território para a sua empresa.

Como você reage quando descobre que a concorrência está disputando o mesmo cliente? Isso o irrita? Tenta convencer seu cliente potencial a desistir de fazer negócios com a outra empresa? Denigre o concorrente? Ou pensar na concorrência o motiva a tomar uma atitude e a aprimorar os seus serviços? Você se esforça para ofuscar o outro vendedor e conquistar não só a confiança do cliente potencial, mas também os seus negócios?

Como você já deve ter adivinhado a esta altura do livro, o melhor caminho a adotar é sempre o caminho mais elegante. Nunca, nunca, nunca denigra a concorrência! Não faça isso diante dos clientes. Não faça isso diante de consultores de vendas. Nem se atreva a pensar nisso, mesmo quando estiver totalmente sozinho. É algo que não o levará a lugar algum. Nenhuma parcela de sua energia vital como vendedor deve ser desperdiçada em coisas desse tipo.

Saber que a concorrência existe tem de funcionar como um grande motivador, e nada mais do que isso. É algo que deve motivá-lo a se empenhar com todas as suas forças o tempo todo. É algo que deve estimulá-lo a dar aquele telefonema extra todos os dias. É algo que deve impulsioná-lo a ser inovador em sua abordagem — a ser diferente. Lembre-se, em vendas, ser diferente é ser bom. Ser diferente o ajuda a se destacar de todos os outros vendedores que seus clientes conhecem. Ser diferente faz com que você seja lembrado. Sendo diferente, em breve estará com mais clientes potenciais do que a concorrência.

Como mencionamos anteriormente, sempre haverá momentos em que a concorrência enfrenta desafios e encerra suas atividades. Você não gostaria de ter de trabalhar ao lado de uma pessoa cuja imagem você pode ter difamado no passado. E vice-versa: quando seu empregador abandonar o mercado, você não gostaria de procurar emprego em uma empresa concorrente sobre a qual já se manifestou negativamente. Se escolher sempre o caminho mais elegante, não haverá nada que possa desmoralizá-lo.

Então, voltemos a esse caminho. O que você *faz* em relação à concorrência? Primeiro, aprende o máximo que pode sobre seus produtos, serviços e formas de fazer negócios, do mesmo modo que aprende sobre sua própria empresa. Não se furte a isso. Se você for realmente uma pessoa dedicada à profissão, ao seu setor e ao seu desejo de atender bem aos seus clientes, esse conhecimento estará imediatamente disponível e será muito mais útil do que possa imaginar.

A menos que você tenha um grave tipo A de personalidade, não é necessário fazer isso tudo de uma só vez. Basta começar prestando atenção a algumas informações sobre a concorrência, que lhe chegam diariamente aos ouvidos. Sugiro que tenha um caderno ou um arquivo no seu computador para cada empresa concorrente. Anote as informações sobre elas, de modo que possa acessá-las facilmente quando precisar. Em pouco tempo, você descobrirá que entende bastante sobre os produtos da concorrência e em que medida eles podem ser comparados às suas ofertas. Você entenderá como seu oponente funciona e perceberá as diferenças (espero que seja para melhor) que sua empresa tem a oferecer. Esse conhecimento o ajudará a aprimorar as demonstrações dos seus próprios produtos. Ter uma melhor compreensão permitirá que esclareça as diferenças essenciais para os seus clientes potenciais.

Sua empresa e os seus concorrentes podem pertencer ao mesmo setor e estarem em busca dos mesmos tipos de clientes, mas talvez você não tenha organizado as informações sobre os produtos de forma que facilite as comparações pelos clientes potenciais. É fundamental para o seu sucesso que você saiba como ambos os produtos se comportam quando colocados lado a lado, e possa demonstrar isso aos seus clientes. Talvez tenha até de lhes dar explicações sobre os produtos da concorrência, a fim de ajudá-los a entender claramente. Para eles, pode ser que seja apenas uma simples comparação, mas você sabe que é mais complexo do que isso. Se um cliente potencial ficar confuso, pode matar a venda. Não deixe que isso aconteça com você.

Ao fazer comparações com os produtos de uma empresa concorrente, será necessário utilizar os materiais de marketing e as normas técnicas da concorrência, ou uma ferramenta independente. Se criar as suas próprias comparações através de tabelas, gráficos e coisas desse tipo, talvez faça um belo trabalho, mas o seu cliente pode se perguntar se alguma informação foi distorcida a seu favor. Se você lhe mostrar como interpretar as especificações do produto com base no folheto ou no site da própria concorrência e como compará-las com as do seu produto, o resultado será muito mais contundente.

## ANTECIPANDO OS OBSTÁCULOS DA CONCORRÊNCIA

Não há como negar que os concorrentes existem. Também não há como ignorá-los. Voltando ao meu comentário sobre ser diferente, recomendo que você antecipe o desejo do cliente potencial de fazer uma pesquisa de preços e tentar encontrar um produto idêntico ou similar na concorrência. Ficar aquém disso é ridículo. Na verdade, você deve ser o único a levantar a questão da concorrência. Eu não sou louco. Loucura é imaginar que uma venda será concluída sem que a concorrência tenha sido considerada.

Você tem consciência de que discutir o produto de um concorrente é inevitável. Portanto, prepare-se para isso, tome essa tarefa para si e trate-a com cuidado. Dessa forma, assumirá uma posição de controle do assunto. E o cliente potencial não poderá usar esse artifício posteriormente para protelar a venda.

Depois de fazer sua lição de casa sobre a concorrência, você conseguirá dizer ao seu próximo cliente potencial: *"Sr. Butler, sabemos que não somos a única empresa que oferece este tipo de produto para pessoas como você. Também sabemos que, talvez, o cliente queira fazer algumas pesquisas comparativas quanto às especificações do produto e ao investimento necessário. Em função disso, é parte do meu trabalho saber o máximo possível sobre os produtos da concorrência, mais ou tanto quanto conheço os nossos. Toda esta pesquisa pode ser bastante demorada. Para lhe poupar algum tempo, eu ficaria feliz em ajudá-lo a comparar os produtos. Qual marca estaria mais propenso a considerar além da nossa?"* Alguns clientes serão mais resistentes, querendo fazer suas próprias comparações. No entanto, muitos terão prazer em ouvi-lo. Afinal, até aqui, eles investiram seu precioso tempo conversando com você. Estão cientes de que você é um especialista em seu setor, e que faz parte do seu trabalho conhecer toda a linha de produtos desta indústria.

Quando se trata de tomar decisões de compra, a maioria das pessoas exige o máximo de conhecimentos factuais e práticos para se decidir — e, então, começar a apreciar os benefícios do produto. Se você for capaz de oferecer uma experiência única, atendendo diligentemente às suas exigências e tiver se mostrado confiável, por que elas não tirariam proveito disso?

A colega Laura Laaman, instrutora de vendas e minha colaboradora, ensina uma estratégia chamada Desligando a Concorrência. Ela afirma:

"Uma ótima maneira de descobrir quaisquer opções que estiverem sendo consideradas pelo cliente é memorizar e ensaiar a seguinte pergunta, e fazê-la de forma cordial: *'Barry, posso comparar e contrapor as outras opções e/ou empresas que você estiver considerando?'* Muitos vendedores não fazem tal pergunta, porque têm medo de que isso signifique informar ao cliente que existem outras opções, e ele acabe escolhendo a concorrência. Se o seu produto ou serviço for como todos os demais, seu cliente teria de viver em uma caverna para não saber que existem outras empresas que estão tentando oferecer o mesmo produto ou serviço. Ao abordar esse assunto com franqueza e naturalidade, oferecendo-se para comparar e contrapor as diferenças para seu cliente, você estará poupando o tempo dele e fazendo-o perceber que você não tem nada a esconder.

"Depois de identificar as outras empresas ou opções que seu cliente estiver considerando, tenha em mãos uma resposta positiva para explicar em que medida o seu produto ou serviço é superior. Além disso, informe-o sobre os custos de sua opção em comparação com a outra. Memorize e ensaie: *'Durante este nosso breve encontro, me sinto contente por comparar e contrapor as inúmeras diferenças, mostrando-lhe por que este modelo é superior — especialmente em sua situação — e por que teremos um preço um pouco (mais/menos) caro.'* Dessa forma, durante a demonstração, eles entenderão os motivos pelos quais deveriam comprar o seu produto e esquecer os outros.

"Cuidadosamente, elabore uma lista em que constem de cinco a dez maneiras pelas quais o seu produto supera o de outras empresas. Quais os benefícios ou serviços que você oferece e que não são cobertos pela concorrência? Suporte gratuito, garantias estendidas, peças de reposição gratuitas, pronta-entrega, mais visibilidade? Durante o encontro, mostre-lhe por que seu produto ou serviço compensa o investimento. Esclareça as diferenças.

"Quando essa abordagem for feita corretamente e de forma não defensiva, os clientes a considerarão agradável e, muitas vezes, o recompensarão com seus negócios."

Quando o cliente lhe disser a marca ou o modelo do produto que está sendo comparado com o seu, faça algumas perguntas sobre o motivo dessa escolha. Talvez ele tenha visto alguma propaganda. Talvez tenha usado anteriormente outros produtos daquela mesma marca. Ou algum amigo de confiança ou parente pode ter comprado o tipo de produto que ele está considerando adquirir agora e ter lhe feito a indicação.

Você precisa ser cauteloso neste ponto. Não é apenas a concorrência a quem não se deve denegrir: nunca menospreze o conselho que seu cliente potencial recebeu de outra pessoa. Ao contrário, seu trabalho é informá-lo e deixá-lo tirar suas próprias conclusões quanto às suas necessidades individuais. Nunca insinue que aquela pessoa tomou uma decisão ruim ou não estava bem informada. Lembra-se dos tijolos mencionados no capítulo anterior? Lide mal com essa situação e a parede de resistência às vendas será erguida novamente. Ou, pior, talvez você esteja lhe acrescentando uma ótima janela de oportunidades — uma janela através da qual a concorrência poderia passar.

Se o seu cliente potencial ainda não tiver determinado quais produtos do concorrente seriam comparáveis aos seus, diga o seguinte: *"Muitos de nossos clientes satisfeitos compararam o nosso modelo atual com os modelos da Série 200 da Empresa XYZ. O que eles descobriram foi..."* Faça um breve resumo comparativo, com base em seu conhecimento daqueles produtos. Então, apresente um depoimento de um cliente que está contente por ter se decidido pelo seu produto, e não pelo da outra marca.

Saiba que a concorrência estará sempre à espreita quando você estiver conversando com quaisquer clientes potenciais. Em vez de deixar que esse concorrente perturbe a sua venda, convide-o para a festa. Afinal, quando você está diante do cliente, a festa é sua. É você quem decide como ela será. Se realmente souber do que está falando, as informações da concorrência servirão como estímulo para que o cliente escolha o seu produto.

## QUANDO UM CLIENTE ATUAL LEVA EM CONSIDERAÇÃO A CONCORRÊNCIA

Você telefona para Barb Crandall, a agente de compras da Numero Uno, seu maior cliente. É um contato usual. Você quer apenas verificar o andamento das coisas e confirmar o próximo pedido da empresa. Barb se mostra simpática como sempre, mas quando chega o momento de fazer o pedido, ela hesita. Informa que a empresa tem passado por uma desaceleração nos negócios, mas não deixa claro se isso afetará o relacionamento comercial entre vocês. Se o alarme ainda não estiver soando em sua cabeça, deveria estar. Você precisa verificar se houve alguma outra mudança, como a necessidade de Barb por seu produto ou a fidelidade dela à sua marca.

*"Lamento saber que sua empresa está enfrentando alguns dos mesmos desafios que afetam os outros representantes deste setor. No entanto, parece que você tem tomado algumas boas decisões, que devem ajudá-la a superar os desafios atuais. Sua empresa oferece um bom serviço e tem um mercado grande o suficiente para sobreviver a alguns momentos difíceis."*

*"Obrigada. Ultimamente, temos ficado um pouco nervosos quanto às nossas vendas e, mais do que nunca, precisamos ser cautelosos."*

*"Isso é compreensível. Sempre poderá contar conosco. Estamos prontos para ajudá-la da forma que pudermos. Você fará mudanças no seu pedido deste mês ou está com estoque suficiente e manterá a mesma quantidade?"*

*"Bem, por causa das mudanças em curso, decidimos analisar algumas novas oportunidades no tocante a nossos fornecedores."*

*Bam!* A maioria dos vendedores teria sido pega totalmente de surpresa com essa conversa. Eles teriam balbuciado um *"Ah, entendo."* Então, talvez não escutassem realmente qualquer outra coisa que Barb tivesse a dizer. Ao contrário, ficariam ouvindo o tilintar cada vez mais baixo de sua caixa registradora, porque estariam perdendo essa conta.

Os vendedores, quando atingidos por notícias como essa, devem reagir como se estivessem manejando um barco. Em vez de deixar a notícia afugentar o vento, eles, simplesmente, devem tomar outro rumo e seguir adiante, procurando descobrir o máximo possível sobre o que causou aquela mudança. Até descobrir o que provocou a mudança de orientação, você não conseguirá combater os seus efeitos.

Se, de fato, você vem atendendo esse cliente com o melhor de sua capacidade e seu produto tem se mostrado satisfatório, é direito seu fazer várias perguntas. Se a qualidade de seu serviço ou produto diminuiu, talvez você mereça sofrer tais mudanças.

Vamos considerar a situação anterior, quando esteve no controle das operações com o cliente. Se lhe fosse dada a merecida oportunidade, que perguntas faria? Antes de tudo, não seria interessante adotar uma postura defensiva. Isso o faria parecer uma criança chorona, em vez de um profissional experiente. Ao contrário, seja direto e assertivo ao pedir informações. Elas são a sua salvação para manter o Numero Uno como cliente.

Se a sua agente de compras disser que a empresa está pensando em procurar novos fornecedores, é sua intenção se manter nesta lista. Na verdade, deve se oferecer para ajudá-la a fazer a pesquisa. Afinal, você é um especialista neste setor e conhece mais sobre a concorrência e seus produtos do que Barb. Seja audacioso aqui. *"Quando as coisas mudam como estão mudando para a sua empresa, faz sentido procurar por outros serviços. Quais produtos ou empresas está considerando?"*

*"Bem, já estamos conversando com outra empresa. Na verdade, pedimos uma proposta, e, portanto, terei de adiar nosso próximo pedido com vocês."*

*"Entendo. Barb, eu não sou apenas um funcionário da Ultimate Products, mas faço o meu melhor para me atualizar sobre o que está acontecendo na concorrência. Em função disso, tenho uma série de informações sobre outros produtos e serviços disponíveis, incluindo os investimentos necessários naqueles produtos. Sei que você já falou com alguém, mas por que não me deixa ajudá-la nas comparações? Afinal, a esta altura, conheço as necessidades de sua empresa muito bem. Na verdade, se me disser qual empresa e produto está levando em consideração, farei de bom grado uma comparação com o nosso produto, que você tem usado com tanto sucesso. Há outras opções mais econômicas por aí, mas sabe tão bem quanto eu que seus clientes esperam um certo nível de qualidade. Deixe-me ajudá-la a avaliar as suas opções. Talvez eu consiga chegar a algumas pequenas alterações em termos de qualidade que poderiam ter um impacto significativo em seus resultados finais, ajudando-os a superar os desafios que estão enfrentando atualmente."*

Se ela concordar, você terá muito trabalho pela frente. Mas se esta for uma de suas contas mais importantes, valerá a pena. Evidentemente, o seu objetivo é ajudá-los a perceber que permanecer com você é a melhor decisão. Talvez você disponha de um produto de qualidade inferior, que poderia ser temporariamente adotado. Ou, ao conversar com o seu gerente, algo pode ser feito no sentido de, por um prazo determinado, estender os descontos para grandes quantidades aos pedidos menores, a fim de ajudá-los a superar esse fase. Você se surpreenderá com sua capacidade criativa diante das possibilidades, uma vez que lhe seja dada a oportunidade. Seu trabalho é aproveitá-la para dizer as coisas certas.

Se, de fato, a concorrência tiver sido mais ágil com um de seus clientes, mantenha a calma e administre a situação com tato e elegância. Felizmente, você tem se mantido bastante informado sobre o que a concorrência tem a oferecer. Caso contrário, este é o momento de estudar os prós e os contras daqueles produtos.

Em seguida, você deve repassar sua história com esse cliente. Relembre como o atendeu bem ao longo do tempo. Você não mencionará datas, fatos e números do passado, como se estivesse montando um processo jurídico, mas é preciso se mostrar seguro de suas informações. Será importante conseguir se referir a momentos específicos, em que o seu conhecimento pessoal beneficiou o cliente. Perceba, ele não está apenas cogitando negociar com outra empresa e experimentar outro produto. Ele está considerando substituí-lo por outro vendedor. Talvez ele não tenha percebido que abrirá mão de sua experiência pessoal caso um novo representante de vendas comece a lidar com as suas necessidades. Quando uma empresa escolhe o seu produto ou serviço, não escolhe apenas a empresa, escolhe o vendedor. Você é um elemento fundamental e, espero, suficientemente valioso para que o risco de perdê-lo seja levado em conta.

É importante agir antes que o cliente se envolva emocionalmente com um novo vendedor, seu produto e sua empresa. Lembra-se de nosso comentário sobre como as pessoas compram emocionalmente, para, em seguida, justificar racionalmente suas escolhas? Você precisa fazer isso antes que as emoções do cliente comecem a mudar. Peça uma oportunidade para encontrá-lo pessoalmente, se possível, para discutir as mudanças de necessidades. Um encontro presencial é sempre o mais indicado. A segunda melhor opção seria uma conferência por telefone.

Como já mencionei, não aja como se você estivesse lutando desesperadamente para manter aquele negócio. Você é um especialista em seu setor e está a serviço dos clientes. É assim que você deve se apresentar, ajudando-os a perceber o valor que a continuidade dos seus serviços terá para a empresa deles.

Se tiver a impressão de que seu cliente está se acercando da concorrência, sugira cautela ao fazer a mudança. Recomende que ele verifique as referências e converse com os clientes que estão utilizando os serviços daquela empresa. Você fará isso porque se preocupa *com ele* — não apenas porque se preocupa em perdê-lo.

Se o cliente se decidir pela mudança, este é o momento de se mostrar *elegante*. Não elimine todas as pontes. Não aja como se acreditasse que ele está incorrendo em um grande erro. Apenas obtenha permissão para permanecer em contato durante a transição. Todas as suas ações provêm do cuidado e da preocupação que tem com o seu cliente. Você quer ser a pessoa que atende às suas necessidades, mas se ele optar por outro profissional, é preciso se certificar de que ele ficará satisfeito. Se não ficar, você estará à espera para, mais uma vez, lhe proporcionar um nível excepcional de serviço.

Recomendo fortemente que você entre em contato com todos os ex-clientes dentro de trinta a sessenta dias após a mudança. Seria ótimo que pudesse falar com eles pessoalmente, mas mesmo que precise deixar uma mensagem em sua caixa postal, eis aqui o que dizer: *"Barb, é o Tom. Só estou ligando para saber como estão as coisas com o novo produto/serviço. Como você sabe, torço por sua satisfação. Se estiver contente com a mudança que fez, ótimo! Se tiver qualquer tipo de hesitação, saiba que estarei sempre pronto e disposto a ajudá-la com uma pesquisa mais aprofundada ou a atender às suas necessidades mais uma vez."*

Acredite, isso acontece: clientes antigos fazem mudanças que consideram positivas, mas depois de algumas semanas ou meses acabam percebendo que estavam em melhor situação ao seu lado. Se você se ativer a uma atitude de sujeição, isso os ajudará a encontrar o caminho de volta. Qualquer outra atitude sua os levará a se sentir humilhados ou obrigados a admitir o próprio erro caso voltem a procurá-lo. Se estiver atento ao estado emocional dos clientes, agirá mais como o pai do filho pródigo bíblico — comemorará o seu regresso com tanta alegria que eles também ficarão empolgados com isso. Mantendo-se em contato e continuando a acompanhá-los, você terá chances de recuperar os clientes perdidos para a concorrência.

## GANHANDO OS NEGÓCIOS DOS CONCORRENTES

Bem, e como fazer para se impor a uma empresa ou um indivíduo que esteja sendo atendido pela concorrência? Primeiro, você tem de colocar em ação os três Ps. Você tem de ser Prazeroso, Profissional e Persistente em todos os seus contatos com os novos clientes potenciais. Se você não dominar os dois primeiros Ps, o terceiro não fará diferença.

Não suponha que uma pessoa que esteja trabalhando com a concorrência a abandone e comece a fazer negócios com você só porque você entrou em contato uma única vez. Talvez haja alguns casos em que o concorrente não tenha atendido bem às necessidades destes clientes e eles estejam apenas à espera de um estímulo para fazer uma mudança, mas não considere isso como uma norma.

Na maioria das vezes, em seu primeiro contato, você obterá uma rápida resposta: *"Obrigado, mas não estou interessado."* O objetivo de um contato inicial não é vender nada, mas fazer os clientes falarem. Portanto, nunca dê um telefonema com o objetivo de apresentar sua oferta. Telefone para fazer perguntas. Se telefonar para uma empresa, pergunte à recepcionista quem é o responsável pelas decisões sobre o seu tipo de produto. Em seguida, peça para ser encaminhado para essa pessoa. Se telefonar para um consumidor (supondo que você não esteja violando quaisquer regras de etiqueta), pergunte como ele toma decisões sobre serviços similares aos que você oferece. Lembre-se, perguntas que os façam pensar e falar é o que você precisa neste contato inicial.

Se o seu produto for manutenção de jardins, limpeza de estacionamentos ou serviços de limpeza em geral, você poderia dizer: *"Olá, Sr. Matthews, meu nome é Tom Hopkins. Fui informado de que você é o responsável pelas decisões relativas à primeira impressão que suas instalações causam em seus clientes potenciais."* Nunca diga: *"Sei que você cuida dos faxineiros."* Tudo que você diz está ligado às emoções. O Sr. Matthews pode ser o responsável pelos faxineiros, mas se sua equipe realizar bem o trabalho, o resultado final será uma primeira impressão positiva nos clientes da empresa. A maioria de nós reconhece rapidamente o grau de limpeza de um prédio, mas raramente percebe que há um homem ou uma mulher com um borrifador, um pano e um esfregão em mãos, esforçando-se para deixá-lo limpo.

Ao tentar se aproximar do cliente de um concorrente, o conhecimento é a ferramenta de maior relevância. Saber os produtos da concorrência e seus métodos de fazer negócios o ajudarão a iniciar as conversas com os clientes. *"Sei que você tem comprado seus suprimentos com a Green Company. Qual dos produtos você usa mais — HandiSani ou Clean & Clear?"* Ao mencionar os produtos pelo nome, você demonstra que sabe do que está falando. Conhece aqueles produtos, como eles funcionam e o quanto melhor ou mais econômicos são os seus próprios produtos.

Nesse contato inicial, você pretenderá estabelecer a continuidade do diálogo com os clientes e obter permissão para procurá-los novamente. Dependendo de sua oferta, talvez você queira lhes enviar uma amostra grátis para que eles usem e comparem com os produtos que vêm utilizando. Se o seu produto for um bem imaterial, peça-lhes permissão para enviar informações comparativas entre o seu produto e o da concorrência, ou que descrevam sua nova e empolgante oferta ou programa. Uma vez estabelecido o diálogo, talvez seja necessário apenas mais um contato para fazer com que tais clientes levem em consideração o que está vendendo. Ou, talvez, sejam necessários mais sete ou oito contatos. Para tentar derrotar o concorrente John ou Jane, você precisa ir retirando pequenas partes, ainda que fundamentais, de sua fundação, sem tentar destruí-la de uma só vez. Seja sofisticado ao acessar os escritórios, as salas de estar e os corações dos clientes da concorrência. Não feche as portas!

Inicialmente, os clientes potenciais poderão considerá-lo apenas como mais um incômodo. Ouvirá coisas deste tipo: *"Não estamos interessados." "Estamos felizes com nossa situação atual." "Não faremos quaisquer alterações."* Tudo bem. Pense novamente no nosso capítulo sobre obstáculos. Interprete tais declarações somente como protelações. Eles, simplesmente, ainda não o conhecem tão bem para saber o quanto precisam de você.

Lembre-se: o segredo é persistir. Se você for prazeroso e profissional, não há nenhuma razão para que os clientes o ignorem solenemente quando você demonstrar persistência. Sua persistência deve suscitar neles pequenas dúvidas sobre o nível de serviço do concorrente. Se o outro vendedor raramente entra em contato com os clientes, talvez eles passem a valorizar a atenção que você está lhes dedicando. É importante que eles gostem de você. Logo, você trabalhará para construir confiança, cumprindo as tarefas que se determina a fazer. Uma vez conquistada a confiança, irão querer ouvi-lo.

Eis aqui algumas palavras para usar em algumas das protelações mais comuns que você ouvirá. A ideia é apenas fazer o processo avançar — em direção ao próximo ponto da comunicação, contato ou conversa.

**1. "Não estamos interessados."**

*"Não me surpreende ouvi-la dizer isso, Sra. Kelly. Afinal, você está com a ThatCorp há algum tempo. Eles devem estar fazendo um excelente trabalho no atendimento de suas necessidades. No entanto, como bem sabe, vivemos em um mundo em constantes mudanças. Tudo o que estou pedindo é que você mantenha a mente aberta para a possibilidade de receber o mesmo serviço ou um serviço ainda melhor em troca de um menor investimento. A maioria dos meus clientes optou por nosso serviço apenas por este motivo, e eles estão muito felizes com isso. Posso, pelo menos, obter sua permissão para lhe mandar uma amostra grátis / enviar informações / entrar em contato novamente no futuro?"*

Se o cliente concordar em manter contato, é sinal que você despertou sua curiosidade. É provável que, estimulado pelo seu discurso, ele decida procurar o fornecedor atual para cobrar incisivamente informações específicas sobre as atualizações mais recentes em seu setor ou amostras grátis ou qualquer outra coisa — e, assim, colocar a outra empresa na berlinda.

**2. "Estamos felizes com nossa situação atual."**

*"É bom ouvir isso, Gary. Considerando tudo o que eles fizeram, você se importaria de me contar do que mais gostou?"*

*"Bem, eu gosto bastante do nosso vendedor. Ele nos envia uma série de informações úteis."*

*"São informações específicas para as suas necessidades ou são informações genéricas sobre o setor?"*

*"São genéricas — como se fosse uma newsletter. Mas eu as aproveito muito."*

*"Ótimo, Gary. Me responda: há quanto tempo você é cliente da ABC Industries?"*

*"Há quase cinco anos."*

*"Cinco anos. E como você tomou a decisão de escolhê-los?"*

*"Bem, nosso fornecedor anterior começou a aumentar os preços, de modo que decidimos fazer um levantamento. Consultamos duas outras empresas e escolhemos a ABC, porque eles ofereceram o melhor preço."*

*"Deixe-me perguntar — já que você se beneficiou tanto comparando preços anteriormente, não faria sentido pelo menos considerar isso novamente?"*

Levar a discussão até este último argumento é bastante produtivo. Faz o cliente realmente pensar que poderia estar em uma situação muito melhor. Se ele concordar que vale a pena considerar a sua ideia, a porta estará aberta. Basta fazer o seu trabalho.

**3. "Não faremos quaisquer alterações."**

*"Entendo. Talvez seja uma tarefa bastante assustadora fazer a quantidade desejada de pesquisa para tomar uma decisão sensata. Responda-me — se você se dispusesse a fazer quaisquer alterações em seu programa, o que melhoraria em primeiro lugar?"*

Para algumas pessoas, mudar é, simplesmente, difícil. Você precisará fazê-las falar para descobrir por que são tão resistentes. Talvez, no passado, elas tenham tido uma experiência ruim com as belas palavras de algum vendedor. Talvez estejam ocupadas demais para pensar nisso agora e você deva procurá-las novamente daqui a trinta dias, o que seria um tempo razoável. Em vez de tentar forçar a mudança, faça-as a pensar em alguma pequena insatisfação que eventualmente possam ter com o fornecedor atual. Isso remonta à nossa discussão sobre a dor da mudança. Seu objetivo é levá-las a desejar a mudança, por perceberem que, no momento, se sentem desconfortáveis com alguma coisa.

Se você estiver tentando influenciar alguém a abandonar o produto ou o serviço da concorrência, será preciso chegar à causa desta satisfação ou insatisfação. Mesmo que os clientes estejam 100% satisfeitos com sua situação atual, você precisa deixar uma imagem positiva — uma imagem que faça com que eles se lembrem de você e o indiquem para algum outro negócio. Ou, ainda, que o faça conquistá-los, se, muito em breve, a outra empresa ou o vendedor mudar. Já aconteceu de os clientes estarem satisfeitos com um produto. Então, a empresa transferiu o vendedor para outra área (ou outro cargo) e os clientes simplesmente não se deram bem com o novo vendedor. As mudanças não foram causadas pela insatisfação com o produto em si, mas com a experiência que eles estavam tendo.

Como diz a citação no início deste capítulo, não há muitas regras nos negócios. Você tem enorme liberdade para explorar as muitas maneiras possíveis de conquistar os clientes da concorrência. Seja criativo!

## RESUMO

- Conheça os produtos da concorrência da mesma forma que conhece os seus.
- Use a concorrência como uma motivação.

- Esteja preparado para traduzir as informações de um concorrente e compará-las equitativamente com as suas.
- Você sabe o que fazer quando um cliente atual leva em consideração os produtos da concorrência.
- Você sabe como agir para conquistar um cliente do concorrente.

# 10. Fechamentos que ajudam os clientes a superar o medo

*Nenhuma paixão pode, como o medo, tão efetivamente roubar o espírito da capacidade de agir e pensar.*

EDMUND BURKE

Omedo é um ladrão de mentes. Penso que todos podemos admitir que é difícil tomar decisões quando se está com medo — mesmo que o que se tema não esteja relacionado com a decisão em si. Quando os tempos são desafiadores ou francamente difíceis, você precisa apaziguar seus próprios medos sobre o que está acontecendo, antes de poder ajudar efetivamente os outros. Se estiver com medo de não concluir a venda, de perder seu emprego, de sua empresa falir ou de seu setor naufragar, você não se comportará da forma profissional e necessária para atender às necessidades dos seus clientes. Ao perceber que tudo o que tem é este momento, este cliente (com necessidades que você pode atender) e o ótimo produto que tem para oferecer, você se acalmará e estará pronto para ajudar seus clientes potenciais a lidar com seus próprios medos.

Quais são os medos dos seus clientes? Bem, o prejuízo financeiro é um grande medo. Em tempos de incerteza, as pessoas tendem a ser mais parcimoniosas. Elas tentam se aferrar ao dinheiro com mais força ou por um tempo maior. Não tomam decisões de compra muito generosas ou expansivas. Elas não ficam tão empolgadas com novidades, a menos que o novo lhes faça economizar dinheiro ou poupar grande parte de seu tempo. Elas podem temer os compromissos de longo prazo. Elas estão mais propensas a tomar decisões de compra muito semelhantes às que sempre tomaram. Construir confiança é uma tarefa mais demorada, porque os consumidores estão céticos em relação a quase tudo. Com algumas pessoas, é quase como se houvesse um bicho-papão real a persegui-las. Eles têm medo de levar em consideração qualquer tipo de mudança.

Se, de modo geral, o noticiário for negativo — abordando demissões, falências, negócios que encerram suas atividades e assim por diante —, é quase certo que os clientes adiem decisões de compra em decorrência do medo geral. As notícias não precisam ser necessariamente sobre o seu setor e os seus produtos e, nem mesmo, sobre o setor deles. Se o que eles estiverem lendo, vendo e ouvindo criar uma mentalidade de medo, você precisa estar preparado para trabalhar com isso.

Com as estratégias que vamos abordar neste capítulo, você ajudará seus clientes a se concentrar em suas necessidades atuais e nas soluções para tais necessidades, e, então, tomar medidas concretas para melhorar as suas vidas ou empresas. Visualize-se como um agente de mudanças positivas. Você é um super-herói do tipo que avalia situações e ajuda as pessoas a tomar decisões sensatas. Você alivia seus medos e as faz agir para tornar as coisas melhores para si mesmas e para seus negócios.

Quando você conhecer clientes potenciais que iniciarem conversas manifestando seus medos sobre as atuais condições econômicas ou da indústria, será preciso controlar o tom do encontro, dizendo algo do gênero: *"Brad, com todas as notícias negativas que temos acompanhado, não lhe parece bom saber que você está fazendo algo positivo, ao considerar a mudança?"* Uma declaração como essa prepara o terreno para futuras conversas com estes clientes. É como se você estivesse dizendo: "Basta de negatividade. Sejamos produtivos!"

Os verdadeiros profissionais encontram maneiras de usar seja o que for para fazer as coisas acontecerem. Os sentimentos negativos se tornam positivos quando boas decisões são tomadas. Os erros do passado levam a decisões mais sensatas no futuro. Inundações e furacões causam estragos, mas também unem as pessoas e as ajudam a se planejar melhor para o futuro. Quase tudo o que se vê ou ouve pode ser transformado em uma poderosa ferramenta para se fechar uma venda. As pessoas adoram ouvir histórias (verdadeiras) que as ajudem a se imaginar como vitoriosas. As analogias também são excelentes estratégias de fechamento. Torne-se um mestre em usá-las!

## QUANDO A DECISÃO É ADIADA

Os clientes potenciais podem optar por adiar a tomada de decisão se houver uma reviravolta em seu setor específico. Eles podem querer esperar para ver quem se sairá melhor e quem sofrerá o maior impacto. Embora a espera possa ser prudente em alguns casos, em outros, ela apenas retardará o retorno ao aspecto positivo da situação. Quanto mais cedo as pessoas tomarem medidas em uma direção positiva, mais cedo aqueles desafios serão superados ou desaparecerão.

Em tempos de distúrbios na indústria, é raro haver surpresas em relação a quem vai sobreviver e quem não vai. Há tantos dados disponíveis sobre empresas de capital aberto que uma rápida análise geralmente fornecerá informações suficientes sobre a saúde financeira de uma empresa. Assim, a espera pode ser considerada uma desculpa para não se tomar uma decisão de compra. Se o seu setor estiver sob fogo cruzado e você trabalhar em uma empresa de capital aberto, imprima o último balanço de sua empresa e mantenha-o consigo. A prova de que a sua empresa é saudável tem todas as chances de se mostrar conveniente. E ler as últimas notícias sobre a sua empresa deve ser a primeira coisa a fazer todas as manhãs, a fim de se preparar para as perguntas ou preocupações que seus clientes possam ter. Provavelmente, seus clientes potenciais estão fazendo o mesmo. Saiba o que eles estão lendo, vendo e ouvindo sobre a sua empresa ou o seu setor, para que possa contrapor adequadamente tais informações.

Quando os responsáveis pela tomada de decisão resolvem protelá-la, há duas alternativas: (1) esperar por eles, o que eu não recomendo, a menos que você saiba que existe um prazo limite para que a decisão seja tomada; ou (2) dizer e fazer as coisas certas para colocá-los em movimento. Em outras palavras, incentivá-los a sair de cima do muro.

Se você for um profissional experiente no ramo de vendas, talvez desconfie da frase seguinte. No início, talvez não seja possível perceber que a decisão está sendo protelada.

Algumas pessoas são muito boas em disfarçar. Elas podem solicitar informações adicionais, analisar os detalhes com mais profundidade ou tentar agendar os encontros em ambientes considerados ideais. Aparentemente, elas estão avançando, mas, na realidade, estão simplesmente dando voltas no mesmo lugar.

Quando perceber o que está acontecendo, será preciso fazer algumas perguntas. Peça aos protelздores para resumir o que eles estão pensando. Peça-lhes para esclarecer o que consideram ser os prós e os contras de sua oferta. Fique atento para captar algo que possa usar e sobre o que trabalhar. Talvez eles tenham entendido mal um benefício importante proporcionado pelo seu produto. Talvez, em sua demonstração, tenha se esquecido de mencionar alguma informação vital que os ajudaria a se decidir. Chegar à origem do que está provocando a hesitação dos clientes é fundamental.

Talvez eles realmente ainda não tenham as informações necessárias para tomar a decisão que considerariam sensata. Pode ser que seja difícil um cliente admitir que não sabe o suficiente sobre alguma coisa para tomar uma decisão. É uma sensação desconfortável, principalmente depois que você, um vendedor tão simpático, lhes explicou tudo tão bem. No entanto, se eles revelarem o que os está deixando reticentes, talvez a solução seja simples, não é? É só colocar de volta o seu uniforme de instrutor e ir à luta.

Outra estratégia para trabalhar com os proteladores é criar um senso de urgência na tomada de decisão. Existe alguma possibilidade iminente de aumento de preço do produto? Diga algo deste tipo: *"Entendo a sua hesitação em fazer a compra agora, Carol. Porém, esperar até a próxima semana talvez não seja a melhor saída para você. O investimento mencionado hoje só é válido até o fim desta semana. Sabendo que economizará muito, não seria sensato tomar uma decisão agora?"*

E quanto à eventual escassez de produtos? *"Jim, entendo que você queira encomendar apenas o necessário para abastecer estas prateleiras. Mas o que acontecerá quando esta quantidade se esgotar? Não seria sensato garantir logo uma reposição, em vez de esperar que ainda tenhamos os tamanhos e as cores dos quais você precisará quando já não tiver mais nada no estoque?"*

O seu tomador de decisão está pensando em uma data específica para instalar o produto, obrigando-o a fazer a encomenda com muitos dias de antecedência? *"Sr. Collins, este equipamento exige um período de fabricação de 45 dias. Se você, conforme mencionado, precisar dele instalado no dia 15 do próximo mês, a encomenda terá de ser feita, o mais tardar, até hoje."*

O seu produto é similar a investimentos, isto é, quanto mais você deixar o dinheiro acumular, melhor? Ou se parece mais com seguros, precisando ser colocado em prática o mais cedo possível? Tente dizer algo deste gênero: *"Katy, Will, quanto antes vocês tomarem esta decisão, mais cedo sua família estará protegida na eventualidade de uma circunstância infeliz."* Admitamos, isso significa explorar um pouco o aspecto da culpa, mas se eles já concordaram com tudo até este ponto e você sabe que o produto é realmente bom para eles, Katy e Will podem precisar desse tipo de empurrão para aprovar a papelada. Não odiaria a si mesmo se não os empurrasse, deixando-os protelar a decisão e algo *realmente* acontecesse?

Ao tentar pressionar um protelador, o interesse dele tem de compensar qualquer desconforto que você possa sentir. Claro que você não ultrapassará os limites, tornando-se, de alguma forma, agressivo, mas certas pessoas não respondem bem à sutileza. Nesse caso, é preciso fazer perguntas de fechamento muito diretas e precisas.

Outros podem ser pressionados por meio de um fechamento audacioso. Se ainda não tiverem se manifestado e recusado claramente a sua oferta, vá até o fim para tentar concluir a venda. Então, diga: *"Patty, se você não tiver outras perguntas ou preocupações sobre como nosso produto atenderá bem às suas necessidades, tudo o que precisamos é que aprove esta papelada."* Agora Patty terá de fazer alguma coisa, não é? Ela aprovará a papelada ou lhe dará um motivo para não aprovar. De qualquer maneira, você está indo até o fim — seja entregando o produto ou mais informações, para embasar o argumento de que o que está vendendo atenderá às necessidades dela.

## CONQUISTE-ME, CONQUISTE-ME

É possível que os responsáveis pela tomada de decisão tenham atravessado uma fase difícil nos últimos tempos, seja na vida pessoal ou de negócios, e estejam, simplesmente, desfrutando de toda a atenção que você está lhes dando. Algumas pessoas se sentem bastante lisonjeadas durante a fase de caça do processo de vendas. Talvez elas não estejam preparadas para desistir da caçada.

Seu trabalho com estas pessoas é explicar o quão bem atende seus clientes na fase de pós-venda. Descreva em detalhes o nível de serviço prestado. Pergunte como e quantas vezes elas querem ser contactadas. Prometa fazer simplesmente isso. Talvez precise marcar um encontro de "pós-compra" antes mesmo de a decisão ser tomada. Claro que isso sempre poderá ser alterado se a decisão não for tomada, mas seu desejo de agendar um encontro antes de ter certeza da efetivação da venda deve bastar para tranquilizar os clientes que temem ser menos bajulados depois de realizada a venda. É prudente ajudar os clientes potenciais a perceber os benefícios adicionais de se tornarem clientes — mesmo que não seja algo específico relacionado ao produto, e, sim, o simples fato de você lhes dedicar mais tempo e mais atenção.

Por exemplo, se o produto exigir instalação ou treinamento, assegure-lhes que você acompanhará todas as etapas. Se for preciso, esboce um cronograma do que está compreendido em cada etapa e quando elas acontecerão, quem estará envolvido e o tempo necessário. Mais para a frente, eles trabalharão sozinhos com o produto. Informe-os sobre visitas agendadas de acompanhamento e como eles podem contactá-lo no intervalo entre as visitas. Assegure-lhes, assegure-lhes e assegure-lhes sempre que você não irá a lugar algum uma vez que a venda esteja concluída. A venda é apenas o começo de um relacionamento de longo prazo.

## EXISTE CONFIANÇA SUFICIENTE?

Talvez os responsáveis pela tomada de decisão simplesmente não confiem o suficiente em você. Talvez tenham gostado do que você falou, mas não estejam 100% seguros de que os benefícios serão tão maravilhosos quanto apresentados. Você conquista a confiança dos clientes ouvindo atentamente o que eles dizem. Os vendedores típicos ficam tão preocupados pensando no que dirão a seguir que, muitas vezes, perdem informações importantes transmitidas pelos clientes potenciais. Talvez esse seja um hábito difícil de superar. Então, se costuma agir dessa forma, substitua esses pensamentos por ações que o ajudem a se concentrar no que que estão dizendo. Deixe que percebam visual e verbalmente que você está prestando muita atenção ao que eles têm a dizer. Incline o tronco para a frente, mantenha um bom contato visual e concorde com a cabeça. Todos esses sinais de linguagem corporal informam que você está ao lado deles — que está acompanhando o que eles dizem —, que simpatiza com a sua situação e quer, realmente, lhes oferecer uma boa solução para suas necessidades.

Não fale demais. Muitos vendedores espantam seus clientes potenciais por falar demais. É quase uma mania. Eles não se sentem no controle da situação, a não ser que estejam falando. Consulte um romance policial e você constatará que as pessoas que falam demais geralmente têm algo a esconder. Não é aconselhável que seus clientes potenciais pensem que é isso que está acontecendo com você.

Você deve ser extremamente gentil o tempo todo, mas saiba que a gentileza tem de ser ainda maior com aqueles que estão com medo. Não pense que este é um tema banal. É incrível a diferença de sentimentos gerados em clientes potenciais quando você diz coisas como "por favor", "obrigado" e "sim, senhor" e quando você não diz. Sempre peque por excesso de formalidade quando se tratar de simples gentilezas.

Respeitar o tempo do cliente potencial ajuda a acalmar seus possíveis medos. Se você estiver tomando muito do seu tempo, ele poderá temer que esta negociação o obrigue a ter mais trabalho do que ele já tem normalmente. Por outro lado, se você não investir um tempo suficiente, ele pode entender que decidir não é tão importante assim. Você deve, no mínimo, procurar um equilíbrio, e só fazendo e depois avaliando o que foi feito é que chegará exatamente aos níveis corretos.

Para ajudar a aplacar os medos gerados por preocupações com o tempo, sugiro que você considere dizer algo como: *"Sr. Casey, sempre respeitarei o seu tempo à medida que nosso relacionamento comercial avançar. Entrarei em contato apenas com a frequência que você determinar e da forma que desejar. Seu tempo é valioso, e não pretendo desperdiçá-lo com questões supérfluas."* Nunca deixe que o medo se instale e comece a enviar vibrações negativas. Parta do princípio de que fatores como o valor do tempo são importantes em todas as situações de vendas. Você demonstrará um alto nível de gentileza e de profissionalismo ao levá-los em consideração.

Alguns clientes precisarão ser contactados semanalmente, ainda que seja apenas um rápido telefonema. Isso ajudará a dissipar todos os medos residuais que eles possam ter depois de se decidirem pela compra. Quando eles se sentirem mais confortáveis com você, seu produto e seu serviço, provavelmente exigirão menos atenção.

## FECHAMENTOS EM SITUAÇÕES DESAFIADORAS

O fechamento de uma venda não é nada mais do que uma forma de perguntar pela emissão da ordem de compra. As estatísticas têm mostrado que a maioria das vendas ocorre após cinco tentativas de fechamento. Isso significa que seus clientes conhecem pelo menos cinco maneiras de protelar a venda ou recusá-la. Se você conhecer apenas uma ou duas maneiras de perguntar pela emissão da ordem de compra, qual será a sua probabilidade de fechar a venda?

Os verdadeiros vendedores profissionais têm um grande arsenal de estratégias de fechamento e continuam procurando novas estratégias o tempo todo. Vender se tornou em meu hobby há muitos anos, e ainda me surpreendo analisando situações de vendas que testemunho ou das quais participo. Como me senti com o que esta pessoa disse ou fez? Devo concordar em negociar com ela? Foi uma experiência agradável? Como isso se traduz em outros tipos de produtos ou situações?

Como já mencionei, quase todas as situações podem ser usadas para criar uma estratégia de fechamento. Alguns fechamentos funcionam melhor com vendas diretas aos consumidores, outros com vendas interempresariais. Darei alguns exemplos que têm funcionado tanto em economias em ciclos ascendentes quanto descendentes. Há muitos mais em meus outros livros e nos ensinamentos de outros instrutores de vendas. Em meu site, recomendo alguns instrutores de alto gabarito. Você encontrará um *link* para Produtos Didáticos Recomendados na página de Recursos Gratuitos do meu site.

Cada estratégia que você escolher deve ser empregada com o carinho e a sinceridade verdadeiros que você sente por seus clientes. Se leu o livro até aqui e não nutre esses sentimentos pelos seus clientes potenciais, será preciso levar em consideração uma outra carreira. Vender sempre estará relacionado ao que é bom para os clientes.

Use estas estratégias de fechamento até se sentir confortável para criar sua própria estratégia.

## O fechamento "Posso conseguir algo mais barato"

Você usaria esse fechamento se o seu cliente potencial decidisse protelar a compra, alegando que pretende fazer uma pesquisa de preços ou procurar uma oferta melhor. O medo do cliente é duplo. Um deles é o de estar tomando uma decisão ruim. O outro é investir muito dinheiro em comparação com o que receberá em benefícios. Você precisa acalmar esses medos e ajudar o cliente a racionalizar a decisão.

Comece concordando com ele. *"É bem provável que isso seja verdade, Jerry. E, afinal de contas, na economia de hoje, todos nós queremos aproveitar ao máximo o nosso dinheiro. Uma verdade que aprendi ao longo dos anos é que nem sempre buscamos, de fato, o preço mais barato. A maioria das pessoas busca três coisas ao fazer um investimento: (1) qualidade superior, (2) melhor serviço, e (3) preço mais baixo. Nunca consegui encontrar uma empresa que pudesse fornecer todas as três — a qualidade superior e o melhor serviço ao menor preço. Me responda, Jerry — pensando em sua felicidade a longo prazo, de qual dessas três coisas você estaria mais disposto a abdicar? Da qualidade? Do serviço? Ou do preço baixo?"*

Raramente os clientes decidirão economizar na qualidade ou no serviço. O que você fez aqui foi lembrá-los — de maneira amável e gentil — que recebemos pelo que pagamos. Isso reforça o grande valor dos benefícios que você acabou de apresentar e deve suscitar uma pequena dúvida sobre o nível de qualidade e de serviço que eles poderiam conseguir com outro fornecedor, ao tentar economizar alguns dólares.

**O fechamento "A verdade econômica"**

Esse fechamento lhe será útil em situações de vendas interempresariais. Será excelente para quando seu cliente potencial o estiver comparando com a concorrência, e você souber que eles oferecem um produto inferior ao seu. Talvez o cliente esteja se deixando influenciar pelo menor investimento, mas, com base nas necessidades dele, você sabe que ele será mais feliz com o seu produto, cuja qualidade é maior. Mais uma vez, o medo do cliente é gastar dinheiro de forma insensata. Estas palavras atacam diretamente esse medo:

*"Debbie, nem sempre é sensato guiar nossas decisões de compra somente pelo preço. Nunca é recomendável investir muito em alguma coisa. No entanto, investir muito pouco também traz suas desvantagens.*

*"Ao gastar muito, você perde um pouco de dinheiro, mas isso é tudo. Ao gastar pouco, arrisca mais, pois o artigo que você está comprando talvez não lhe traga a satisfação esperada. É uma verdade econômica: raramente é possível obter o máximo gastando o mínimo.*

*"Se estiver considerando negociar com o fornecedor mais barato, talvez seja prudente aumentar um pouco o seu investimento para compensar o risco que está correndo. Se você concordar comigo nesse ponto, estiver disposta e conseguir investir um pouco mais, por que não ficar com um produto superior? Afinal, será difícil esquecer a inconveniência de um produto inferior. Quando sentir os benefícios e a satisfação do produto superior, pouco importará o valor do investimento, pois em breve ele será esquecido."*

Sei que se trata de uma estratégia um pouco longa, mas funciona. Se você ficar nervoso na hora de memorizá-la, divida-a em pequenas partes e trabalhe a essência de cada uma. Depois de conquistar alguma desenvoltura com o conceito, estará mais motivado a aprendê-lo até o ponto em que ele fluirá sem problemas.

## O fechamento "Devo fazer"

Esse é um grande fechamento para os proteladores — pessoas que, simplesmente, não parecem querer tomar uma decisão, e que não lhe dão nenhuma garantia disso. Ele se baseia em uma estratégia de planejamento de tempo/produtividade que ensinei durante anos. A estratégia é simples. Quando se vive sob estas 11 palavras — *Devo fazer a coisa mais produtiva possível em cada momento específico* —, é possível realizar mais a cada dia. Essa frase o ajuda a obter clareza e a se concentrar no que é realmente importante fazer a cada minuto de cada dia.

Quando você tiver clientes que não queiram sair do lugar, diga estas palavras: *"Compreendo a sua hesitação em tomar uma decisão agora, Sherry. Provavelmente, há um monte de coisas se passando pela sua cabeça. Certa vez, ouvi de um palestrante um ditado que faz muito sentido quando se trata de lidar eficazmente com assuntos de negócios. O ditado diz assim: 'Devo fazer a coisa mais produtiva possível em cada momento específico.' Faz sentido, não é? Ajuda, realmente, a concentrar os esforços de forma eficaz. Agora, me responda: qual é a coisa mais produtiva que você poderia fazer neste momento?"*

Não se surpreenda se o cliente tentar mudar de assunto, dizendo algo como: *"Estar deitado numa praia no Havaí."* Os proteladores são famosos por tentar desviar o rumo da conversa. Diante de uma resposta desse tipo, você teria de concordar que descansar e relaxar são importantes para a produtividade, mas precisaria trazê-lo de volta para a realidade, que é onde ele se encontra neste exato momento.

Se a resposta não tiver nenhuma relação específica com o encontro, como terminar a leitura de um relatório, reunir-se com a equipe, lavar os uniformes de futebol das crianças ou qualquer coisa que pudesse ser considerada uma distração mental, tente estas palavras: "*Bem, então vamos tirar esta decisão do caminho, de modo que você possa partir para algo mais produtivo.*"

Se o cliente responder que precisa tomar a decisão, você diria: "*Ótimo. Então estamos tratando do que quer fazer neste exato momento. Se você der a sua aprovação, o receberemos em nosso grupo de clientes satisfeitos.*"

De uma forma ou de outra, você está perguntando pela ordem de compra — agora — e dando-lhe um motivo racional para tomar a decisão. Se ele já concordou emocionalmente que o produto é bom para ele, essa estratégia é excelente para pressioná-lo a dar continuidade ao processo de tomada de decisão.

Se o intervalo entre o contato inicial e a última pergunta de fechamento tiver sido longo, talvez o cliente se sinta temporariamente prejudicado quando o projeto de encontrar um fornecedor estiver concluído. Nosso acordo de produtividade o ajudará a reconhecer o mérito de passar para a próxima coisa mais importante.

**O fechamento "Não cabe no orçamento"**

Quando há uma série de contenções de despesas acontecendo, as pessoas e as empresas tendem a ficar bastante atentas aos seus orçamentos. Talvez alguém lhe diga: "Não cabe no orçamento", quer se trate de uma venda ao consumidor ou de uma situação empresarial. Será importante lembrar que um orçamento, assim como a economia, não é uma entidade em si. Ambos são criados através de esforços e decisões de pessoas.

Quando confrontado com um obstáculo orçamentário, seu objetivo será chegar ao cerne do verdadeiro significado dos orçamentos — por que as pessoas os elaboram e quem toma decisões sobre como eles serão gerenciados. Tente estas palavras: *"Entendo o seu desejo de trabalhar dentro do orçamento, Frank. Tenho total ciência da necessidade de empresas/pessoas controlarem para onde seu dinheiro está indo. Você concordaria comigo que o seu orçamento é uma ferramenta necessária para administrar o dinheiro de forma inteligente?"* Ele concordará, porque acreditará que o obstáculo orçamentário está impedindo a continuidade da venda e que você está desistindo. Mas não está. Em seguida, diga: *"A ferramenta em si não determina para onde vai o dinheiro. Você, como seu criador/diretor, é quem faz isso. Um bom orçamento pressupõe alguma flexibilidade, destinada a situações de emergência, necessidades de mudança e oportunidades inesperadas. Você, como controlador desse orçamento, detém o direito de fazer alterações em nome de seus melhores interesses (ou dos melhores interesses da empresa), não é? O que estamos discutindo aqui hoje é um produto que permitirá que você (ou sua família, ou sua empresa) obtenha um benefício imediato e permanente. Responda-me, nessas condições, o seu orçamento se tornaria flexível? Ou ele ditará as suas ações?"*

Você acabou de colocá-lo em uma posição de poder, como controlador do orçamento. Ele admitirá que pode fazer alterações. E você pediu exatamente isso, de modo que ele possa desfrutar dos benefícios do produto que está sendo oferecido.

Se o cliente se aferrar ao orçamento, a sua próxima pergunta será: *"E como podemos fazer para nos incluir nesse orçamento?"* Se ele tiver percebido o valor de sua oferta e realmente a desejar, levará em consideração as medidas que devem ser tomadas para aproveitá-la. Talvez ele diga que precisa fazer uns ajustes e que isso demandará algum tempo. Se essa for a única maneira de concluir a venda, concorde em esperar, mas obtenha dele um prazo para que as mudanças ocorram. Marque um encontro para depois ou antes desta data limite. Esteja preparado para fazer uma minidemonstração e um resumo de todos os benefícios, para que, mais uma vez, ele se sinta emocionalmente envolvido e queira adquirir o produto, e, em seguida, feche a venda.

## O fechamento "Colin Powell"

Eis aqui um exemplo perfeito de como aproveitar algo que ocupou os noticiários e transformá-lo em um fechamento. Durante a Guerra do Golfo, no início dos anos 1990, Colin Powell era general. Se você acompanhou sua história a partir daí, ele se aposentou do exército e se tornou o secretário de Estado norte-americano. Acredito que a maioria da população do país esteja familiarizada com o seu nome. No balanço das ações militares, ele deu uma declaração que se aplica maravilhosamente bem às situações em que um cliente potencial está, simplesmente, indeciso. Eu a transformei em um fechamento.

*"Kirk, certa vez ouvi uma frase do ex-secretário de Estado Colin Powell. Dizia assim: 'A indecisão já custou aos norte-americanos, às empresas norte-americanas e ao governo norte-americano bilhões de dólares — muito mais do que uma decisão errada teria custado.' Neste momento, estamos falando sobre uma decisão, não é? O que vai acontecer se você disser sim? E o que vai acontecer se disser não? Se disser não, nada acontecerá e as coisas continuarão as mesmas amanhã, da mesma forma que estão hoje. Se disser sim..."* Em seguida, faça um resumo dos benefícios. Ao fim

do resumo, diga: *"Quanto antes você tomar a decisão, mais cedo começará a desfrutar de todos estes benefícios, não é, Kirk?"* Ele provavelmente concordará e, em seguida, você pedirá que ele aprove a papelada.

### O fechamento "Vantagem competitiva"

Não importa onde se encontrem no atual ciclo econômico, os clientes de negócios sempre estarão procurando maneiras de ganhar uma vantagem competitiva. Se a Empresa A acreditar que a Empresa B está se saindo melhor do que ela, desejará tomar as mesmas medidas. Esse fechamento traz à lembrança esse raciocínio.

*"Mary, perceba que os seus concorrentes estão enfrentando os mesmos desafios que você. Não lhe parece interessante que, quando um setor inteiro está lutando contra as mesmas forças, algumas empresas consigam ser mais bem-sucedidas do que outras ao reagir a esses desafios? Meu objetivo hoje foi apresentar um método para ganhar uma vantagem competitiva. E adquirir vantagens, grandes ou pequenas, é a forma de enfrentar uma destas poucas empresas do seu setor que está se saindo melhor do que as outras. Em quanto tempo você deseja que a sua empresa comece a fazer um trabalho de melhor qualidade?"*

Se você tiver um cliente de um setor não concorrente que venha utilizando o seu produto para ganhar uma vantagem competitiva, assegure-se de fazer com que esse testemunho chegue ao cliente potencial. Melhor ainda, pergunte ao cliente atual se ele aceitaria conversar por telefone com novos clientes potenciais de setores não concorrentes para confirmar como o seu produto (e você) tem atendido bem às suas necessidades.

## O fechamento "Economia negativa"

Quando a principal preocupação de seus clientes estiver relacionada à economia negativa ou descendente, talvez você não consiga fazê-los parar de pensar nisso. Com algumas pessoas, em vez de tentar convencê-las de que o copo está meio cheio, será preciso concordar que as coisas não vão bem. No entanto, usando as palavras deste fechamento, você as levará a admitir que há vantagens em tomar decisões, mesmo na mais grave das situações econômicas.

*"Irene, Jack, tenho de admitir que concordo quando vocês falam sobre o atual cenário econômico desfavorável. No entanto, anos atrás, aprendi uma lição muito interessante. As pessoas bem-sucedidas compram quando todos estão vendendo e vendem quando todos estão comprando. Nos últimos tempos, tudo o que temos ouvido são notícias sobre a péssima fase econômica que estamos atravessando, mas decidi não me preocupar com isso. Sabem por quê? Porque muitas das fortunas de hoje foram construídas durante as mais difíceis situações econômicas. As pessoas que construíram estas fortunas focaram na oportunidade de longo prazo, e não nos desafios de curto prazo. Vocês têm a mesma oportunidade hoje. Ao considerar os benefícios a longo prazo do nosso serviço, faz todo o sentido começar agora, não é?"*

Mais uma vez, você apenas os ajudou a racionalizar a decisão que, emocionalmente, eles desejam tomar.

## O fechamento "Na economia atual"

No caso dos clientes potenciais que têm consciência de que precisam tomar uma decisão, mas se sentem tão aprisionados às próprias dúvidas, tente este fechamento para ajudá-los a se concentrar em suas necessidades.

*"Com base nas notícias econômicas atuais, quase tudo é muito ruim ou bom demais para ser verdade. Se levássemos a sério todas as informações que nos chegam diariamente, nunca compraríamos nada. Nossa economia chegaria a um impasse e todos nós sofreríamos muito. Você está prestes a fazer uma escolha positiva para a sua família/empresa, não é verdade?"*

Se o cliente concordar que se trata de uma escolha positiva, peça-lhe para concluir a venda!

## O fechamento "Produtividade nos negócios"

Quando as empresas vêm enfrentando desafios, fazendo cortes e, possivelmente, demitindo funcionários, é possível que os responsáveis pela tomada de decisão estejam um tanto desanimados. Se você comercializa um produto ou serviço que beneficia diretamente os funcionários de uma empresa ou que será utilizado por aquelas pessoas, tire o foco da decisão e coloque-o no resultado positivo. Tente algo assim: *"Wayne, o que estou oferecendo hoje não é apenas um produto/serviço. É um estímulo ao moral dos funcionários. Você já reparou que qualquer coisa nova aumenta o interesse e o entusiasmo pelo trabalho? O entusiasmo aumenta o moral. O moral aumenta a produtividade. E quanto vale a produtividade?"*

Essa tática funciona especialmente bem com produtos como seguro-saúde, equipamentos e mobiliário de escritório, máquinas de venda automática e serviços que afetam o ambiente de trabalho dos funcionários.

Esperamos que, agora, você perceba o padrão das estratégias de fechamento mais eficazes:

1. Concordar com tudo o que o cliente potencial estiver dizendo.

2. Fazê-lo mudar de atitude com histórias, perguntas, citações, exemplos, testemunhos.
3. Criar um senso de urgência.
4. Agir como se a decisão de adqurir o seu produto ou serviço já tivesse sido tomada.
5. Perguntar clara e diretamente sobre a conclusão da venda.

Esse padrão o ajudará a apaziguar os medos dos clientes potenciais e fará com que eles saiam de cima do muro.

## RESUMO

- Você sabe quais são os medos mais comuns dos clientes.
- Você sabe como reconhecer um protelador.
- Você sabe como criar um senso de urgência em decisões de compra.
- Você usa estratégias para conquistar a confiança dos clientes.
- Você conhece e usa estratégias de fechamento bem estabelecidas e eficazes.

# 11. Métodos para reduzir custos e continuar parecendo bem-sucedido

*Não é o mais forte da espécie que sobrevive, nem o mais inteligente, mas o que melhor se adapta às mudanças.*

CHARLES DARWIN

A história nos mostrou muitas empresas grandes e sólidas que não se conservaram bem durante tempos desafiadores porque se mostraram resistentes à mudança. A incapacidade de reagir às alterações dos mercados ou dos ciclos de negócios fez com que elas sofressem prejuízos e investissem tempo e recursos valiosos em sua recuperação.

No momento da publicação deste livro, vários jornais dos Estados Unidos estão lutando para se reinventar. Apesar de a mídia impressa ainda ser apreciada por muitos, mais e mais pessoas estão tendo acesso às notícias diárias pela internet ou pela televisão. A tecnologia tem avançado tanto que conseguimos nos conectar em praticamente todos os lugares do planeta.

Ainda que os jornais prestem um serviço primoroso, a parte referente ao "papel" nesta equação é muito dispendiosa em termos de produção e distribuição. Será interessante observar como essas fontes de notícias reduzirão tais custos e se transformarão.

Ver-se forçado a mudar pode ser doloroso sob muitos aspectos, especialmente quando se resiste à mudança. É muito menos doloroso quando a incorporamos, sabendo que é para o nosso próprio bem. Como afirmou Darwin, temos de ser adaptativos se quisermos sobreviver.

No caso de uma empresa ou de um vendedor, a mudança precisa ser uma escolha. E precisa ser uma escolha sensata. Debater-se arbitrariamente e mascarar cada pequena ferida provocada por tempos difíceis não é uma forma eficaz de lidar com os desafios. A melhor forma é esquivar-se inteiramente dos percalços com movimentos bem planejados, orientados para a eficiência e a produtividade.

Felizmente, você está preparado para enfrentar os vários ciclos de negócios e as mudanças potenciais que já abordamos neste livro. Se você tiver se dedicado às questões cruciais dos negócios, quando a maré da mudança fatalmente chegar, conseguirá sobreviver muito bem, com algumas pequenas adaptações.

A esperança é que nenhuma das alterações necessárias tenha um impacto negativo sobre a qualidade dos produtos ou serviços que seus clientes recebem. Na verdade, recomendo fortemente que contrapese toda possibilidade de mudança com esta pergunta: *"Como esta mudança afetará os clientes que estão negociando comigo?"* Se a resposta for *"Não afetará"*, ótimo! Se, de alguma forma, afetar, a pergunta seguinte deverá ser: *"Eles se sentirão tão afetados a ponto de quererem suspender tais negócios?"* Você jamais desejará promover uma mudança que tenha este resultado, mas já houve casos em que foi necessário fazer exatamente isso para salvar o negócio (ou a carreira) a longo prazo. Sabe-se de empresas que abriram mão de clientes menores, a fim de atender às necessidades de seus clientes maiores, que, afinal, eram o seu ganha-pão. Alguns clientes de pequeno porte têm demandas e necessidades que são muito onerosas para continuar a atender. E, talvez, eles não consigam ter recursos suficientes para adquirir os seus produtos ou serviços, caso você precise aumentar os preços de modo a obter um lucro razoável.

É sempre bom analisar a porcentagem de lucro proveniente de cada cliente e lidar com as suas respectivas necessidades em função disso. Se você tiver uma grande margem de lucro sobre determinados produtos encomendados por empresas menores, talvez seja prudente reduzir a quantidade de tempo que tem investido com os clientes maiores. Tenha em mente que é importante observar tanto as porcentagens finais em termos de valores absolutos quanto de margem de lucro. Você não gostaria de abrir mão de uma conta grande, que gera receitas elevadas, em troca de seis empresas pequenas com maiores margens de lucro, mas com um resultado inferior em termos de valores absolutos.

## DICAS DE ECONOMIA PARA PROFISSIONAIS DE VENDAS

Quando os negócios entram em declínio por algum motivo, talvez você tenha de apertar um pouco o cinto, tanto na vida pessoal quanto no que diz respeito à forma como investe seu tempo e dinheiro em negócios. Comece por se tornar o mais rentável possível. Então, se você ainda precisar fazer algo além disso, observe onde tem aplicado o seu dinheiro. Controle os seus gastos por apenas uma semana e, provavelmente, se surpreenderá ao constatar a infinidade de formas pelas quais é possível economizar, ajustando, de forma simples, a sua maneira de pensar e os seus hábitos.

Embora os vendedores tenham potencial para ganhar muito mais do que um funcionário médio que trabalha de oito às cinco, eles também têm uma tendência a querer gastar mais. Queremos as melhores e mais recentes bugigangas. Gostamos de carros novos. Apreciamos viajar a negócios e a lazer. Tenho dito há muitos e muitos anos que a venda mais fácil de se fazer é para outro vendedor.

Eu mesmo possuo três aspiradores de pó, que foram vendidos em domicílio. Mesmo já tendo dois aspiradores em casa, eu ainda não tinha um capaz de retirar uma bola de boliche do armário. E eu queria isso! Idiotice, não é? Mas o vendedor fez um trabalho tão bom que, simplesmente, não consegui recusar a sua oferta. Ora, na qualidade de vendedor, sei bem como é se sentir rejeitado. Sei o quanto o nosso trabalho pode ser duro. Sou facilmente manobrável. É por isso que tenho uma equipe de pessoas que, agora, toma todas as decisões de negócios para minha empresa. Normalmente, sou uma pessoa comedida, mas quando vejo uma boa demonstração de vendas, quero adquirir o produto, precisando ou não dele.

Se você é feito dessa mesma matéria, desenvolva uma estratégia para suas decisões de compra e se atenha a ela. Isso pode envolver a consulta a um ente querido ou a um sócio antes de fazer grandes aquisições. Por determinado tempo, pode limitar seus gastos supérfluos a uma certa quantia em dinheiro. Ou pode decidir não comprar qualquer produto desnecessário até que tenha economizado o suficiente para justificar tal compra como se fosse um prêmio.

Desenvolva uma mentalidade de economia e a mantenha acesa o tempo todo. Você se surpreenderá com o quanto é possível melhorar.

Como exemplo, considere seus hábitos alimentares. Muitas pessoas ficam bastante surpresas quando somam os recibos de despesas alimentícias em uma única semana. Você realmente precisa daquele litro de soda todas as tardes? Meio litro não seria suficiente? Um litro pode ter o melhor custo-benefício, mas ainda vale mais do que uma embalagem com menos quantidade. Está exagerando nas refeições rápidas, mesmo quando uma refeição de tamanho normal lhe pouparia dinheiro e calorias? Você para de comer quando fica de estômago cheio ou sempre esvazia o prato?

Alguns dos meus alunos desenvolveram o hábito de reduzir à metade as refeições trazidas à mesa do restaurante. Eles comem apenas uma parte e levam a metade restante para casa, a fim de fazer outra refeição mais tarde. Dessa forma, simplesmente eliminaram o custo de uma refeição inteira! Não é necessário fazer disso uma coisa tão importante ou desenhar, literalmente, uma linha no meio do prato, mas mantenha essa ideia em mente e considere-a da próxima vez que fizer um pedido em um restaurante.

Além disso, reconheço o quanto nós, vendedores, gostamos do nosso cafezinho. A questão, então, é a seguinte: precisamos realmente de todas estas bebidas à base de café? Se você costuma sair direto da cafeteria para o escritório, não pouparia algum dinheiro se mantivesse o seu próprio estoque de café? Você sempre pede o tamanho extra? Observe o seu copo da próxima vez. Você bebe, de fato, até a última gota? Se a resposta for não, quando for pedir novamente, peça um tamanho menor e note se realmente notará algo diferente, além da quantidade de troco que receberá de volta.

Se você trabalhar como autônomo, recomendo que nunca coma sozinho! Nós, profissionais de vendas, muitas vezes nos encontramos longe de casa e do escritório na hora das refeições. Não faça apenas um lanche rápido. Aproveite as deduções de impostos e o prestígio gerado quando você desfruta do café da manhã, do almoço ou do jantar com clientes ou clientes potenciais. Isso pode demandar um pouco de planejamento antecipado, mas vale a pena pela economia.

> Para consultar outras ideias incríveis sobre deduções de impostos a empresas, consulte o meu colega Sandy Botkin, instrutor de vendas. Ele trabalhou na Receita Federal dos Estados Unidos e agora está do outro lado do balcão, atendendo ao grande público. Ele é muito divertido e tudo o que ele ensina está fundamentado no código da Receita.

Eu o aconselharia a não economizar na contabilidade ou nos serviços fiscais. A menos que você tenha formação nessa área, é muito fácil se confundir. Se tiver receitas e despesas a declarar, continue a trabalhar com profissionais. A longo prazo, a experiência deles lhe poupará mais dinheiro do que você economizaria executando sozinho essa tarefa.

Agora, vamos analisar o seu guarda-roupa. Uma das vantagens de ser um profissional de vendas, e não um artesão, é que você começa a se vestir bem. Esse foi um dos aspectos da área que mais me atraiu quando tinha 19 anos e trabalhava na construção civil. Eu trabalhava como especialista em tabuleiros de pontes, carregando aço, e em certos dias de verão, depois de trabalhar ao ar livre durante o dia todo, eu precisava de dois banhos realmente longos para me sentir limpo.

Se o seu padrão de vestuário para o trabalho for um terno, analise se o que você tem vestido resistirá a mais uma temporada. Poderia deixá-lo mais moderno se o combinasse com uma nova camisa, blusa, gravata, lenço ou joia — algo não tão caro quanto um terno novo? Se puder, faça isso. Se não for possível, será preciso determinar o seu orçamento, ficar atento às promoções e realizar uma compra sensata.

Neste ambiente, o estilo clássico de se vestir é uma boa ideia. O presidente Barack Obama, por exemplo, costuma comprar cinco ternos idênticos quando encontra um do qual goste bastante. Ele simplifica as suas escolhas. Isso é economia de pensamento!

Um amigo meu vende joias preciosas, e optou por uma espécie de uniforme como traje de negócios. Quando está trabalhando, ele sempre se veste com um estilo particular, que se adequa bem a ele e à sua posição naquele setor. Se você escolher um "uniforme" apropriado para o seu negócio, não se preocupe em ficar entediado. Ao contrário, perceba a paz de espírito e a redução de custos que isso pode lhe trazer. E, como mencionado anteriormente, sempre é possível incrementar as coisas, com pequenas alterações em bijuterias ou outros acessórios.

Você ou alguém que conhece tem habilidade para fazer pequenos consertos em roupas? Pense em reparar suas peças de roupa, em vez de substituí-las. Como um todo, se a sociedade passar a desperdiçar menos, será melhor para o nosso bolso e para o nosso planeta.

Se a sua função exigir que você destine um lugar aos clientes em seu veículo, é melhor que ele esteja em boas condições. Nunca economize em algo tão importante. Se o carro enguiçar no caminho de ida ou volta para um almoço com o cliente — com ele dentro do carro —, não será uma boa coisa. Embora mantê-lo nas condições ideais de funcionamento seja uma tarefa para profissionais, certamente você conseguirá administrar os detalhes estéticos por si mesmo. Em vez de recorrer a uma lavagem automática semanal, veja se você mesmo consegue limpá-lo com um daqueles panos macios e lavar as janelas. Melhor ainda, adicione a limpeza do carro à lista de tarefas dos seus filhos e aumente a mesada deles (não a ponto de isso lhe custar o mesmo que a lavagem automática.)

A sua pasta está com um aspecto encardido? Se isso tiver acontecido, pegue um limpador de couro e procure ressuscitá-la. Algumas das pessoas que você encontrará no mundo dos negócios serão bastante críticas. Se deixar transparecer alguma espécie de falta de cuidado, falta de asseio ou desorganização, talvez elas passem a duvidar de sua capacidade de lidar bem com as necessidades delas.

Como estão os seus sapatos? Preste atenção antes de entrar na residência ou na empresa de um cliente potencial. Conheço muitas pessoas que, ao notar sujeira ou poeira nos próprios sapatos, os limpam rapidamente na parte de trás da calça. O desafio é que, agora, a calça estará suja, o que, possivelmente, também será perceptível. Confira os sapatos antes de colocá-los. Uma rápida limpeza com um pano úmido pode evitar essa preocupação pelo resto do dia.

O mesmo nível de cuidado deve ser tomado com o seu computador pessoal. Se parecer que ele passou por uma zona de combate, considere encapá-lo. Manter as aparências é importante neste ramo de atividades. Os clientes querem fazer negócios com representantes bem-sucedidos em seu setor. Em tempos difíceis, talvez você ainda seja considerado um dos profissionais mais bem-sucedidos, mesmo que suas vendas tenham caído consideravelmente.

É fundamental se manter tão capacitado quanto possível para atender às necessidades dos clientes, mas não tema revelar que será preciso fazer algumas reduções de custos, desde que elas não afetem a qualidade do serviço que você oferece. Seus clientes o respeitarão por ser honesto em relação ao fato de as coisas não estarem indo tão bem como no passado, e apreciarão a sua criatividade ao responder aos desafios.

Agora, vamos falar de outras formas pelas quais você pode administrar a situação. Que tipo de material de escritório tem adquirido? Alguns destes itens não poderiam ser oferecidos pela sua própria empresa? Caso não possam, eles não se tornariam mais econômicos se você abrisse uma conta empresarial junto ao fornecedor? Muitas das grandes redes de lojas oferecem programas de recompensas. Bastam alguns minutos para se associar, e isso pode lhe render boas economias.

Você dispõe de algum tempo para pesquisar ofertas on-line de peças, marcas genéricas ou itens para reabastecimento do estoque? Pode se surpreender bastante ao descobrir o que está disponível. Você conhece alguém que poderia ajudá-lo nisso? Talvez existam outros vendedores autônomos como você interessados em formar um grupo de compra coletiva, o que significaria, para todos os integrantes, uma economia com essas despesas. Comece perguntando à sua volta.

Quando se trata do computador, avalie se você realmente precisa ou não imprimir tantos documentos quanto costuma imprimir. Mais e mais consultórios, por exemplo, estão optando por arquivos eletrônicos para armazenamento das informações dos pacientes. Você poderia fazer a mesma coisa? Se não puder fazer isso com todos os documentos, há alguns, pelo menos, que poderiam ser mantidos apenas como arquivos eletrônicos?

Minha equipe e eu estamos recebendo cada vez mais e-mails com uma pequena afirmação no rodapé sobre a importância de economizar papel, não imprimindo as mensagens, a menos que seja absolutamente necessário. Pense na frequência com que você tem recorrido a arquivos de papel nestes últimos tempos. Admitamos, é reconfortante saber que você guarda todos os documentos relacionados a cada cliente, mas eles precisam ser impressos? Precisam ocupar espaço físico? Ou será que o ciberespaço basta?

Sou obcecado quanto à apresentação pessoal adequada. É muito importante nos apresentar dignamente quando nossas carreiras envolvem prestação de serviços aos outros. Não economize em nada que possa afetar a sua aparência pessoal. Bem, se você costuma cortar o cabelo a cada seis semanas, talvez possa estender esse prazo para sete semanas, de modo a poupar alguns dólares, mas apenas se for absolutamente necessário. E eu sei como as mulheres se sentem sobre fazer as unhas. Sim, no início, as manicures e pedicures podem ter sido um artigo de luxo, mas, provavelmente, já se tornaram uma necessidade. Se é assim que você pensa, não deixe de fazer o que tem feito. Eu mesmo terei de admitir que existe um ponto onde o comedimento, forçado ou não, simplesmente afeta a psiquê. Se você ficar deprimido ao se ver obrigado a fazer uma redução de custos, isso transparecerá em sua atitude e, muito provavelmente, terá um impacto negativo em seus índices de fechamento.

Por outro lado, não considere as estratégias de redução de custos muito difíceis de executar. Responsabilize-se por encontrar maneiras de cortar apenas 3% de seus gastos durante o período de um mês. Depois de alcançar essa meta e constatar que não é algo tão complexo assim, perceberá que desenvolveu um novo hábito, dizendo: "O que mais eu posso fazer?" Será divertido verificar como e onde conseguirá fazer reduções de custo sem que ninguém, além de você, note.

Transformar em um jogo a economia que precisa fazer em sua vida pessoal pode funcionar muito bem com sua família. Esta é uma daquelas estratégias que você *pode* usar quando confrontado com desafios. Agir, em vez de ficar imobilizado pelo medo ou pela indecisão, o ajudará a ganhar um senso de controle sobre a situação.

Se você precisar viajar a trabalho, certifique-se de aproveitar cada oferta especial, bônus ou programa de recompensa que consiga encontrar. Isso pode ser um pouco trabalhoso de fazer, mas se tratar suas necessidades de deslocamento assim como trata as necessidades de seus clientes, em breve a economia que fizer lhe possibilitará desfrutar de quase tantos benefícios quanto os que você recebe por atender aos seus clientes. Além disso, algumas companhias aéreas oferecem promoções especiais apenas pela internet.

A maioria dos clientes entenderá se você precisar passar a procurá-los pessoalmente com uma frequência um pouco menor do que em épocas mais prósperas. É claro que alguns precisam de mais atenção. Nós já abordamos isso. Para os que conseguem ficar sem o contato presencial, considere o uso de serviços de encontros on-line, tais como WebEx, Microsoft Live Meeting ou GoToMeeting, ou, simplesmente, faça reuniões com auxílio da *webcam*. Dessa forma, eles ainda conseguirão ver o seu sorriso, e você não precisará investir um dia inteiro de viagem (e de despesas) para estar ao lado deles. Se você ainda não souber como utilizar esses serviços, reserve um horário em sua agenda esta semana para aprender. Peça a outros vendedores (ou ao seu filho) algumas instruções básicas sobre como tirar proveito da tecnologia.

Se o seu cliente não tiver uma *webcam*, o pequeno investimento para lhe enviar uma câmera não sairia mais barato do que um bilhete de avião, o aluguel de um carro e a hospedagem para encontrá-lo pessoalmente? E vocês podem aprender a usá-la juntos. Essa é uma ótima maneira de criar um novo vínculo ou reforçar algum já existente — construindo, assim, a fidelização do cliente.

Se você trabalhar em casa, pense na quantidade de energia que pode economizar. Algumas empresas de serviços públicos oferecem taxas mais baratas para clientes empresariais. Converse com a sua prestadora para saber se está qualificado para usufruir dessas promoções. Desligue as luzes, computadores, impressoras, televisores, o que for, quando não estiver no ambiente. Troque as lâmpadas comuns pelas de baixo consumo de energia. Se estiver substituindo aparelhos ou equipamentos, procure produtos com um rápido retorno sobre o investimento. Talvez você se surpreenda ao saber que, muitas vezes, custará mais manter ligada uma estação pessoal de trabalho média durante seus três anos de vida útil do que o montante necessário para adquiri-la. Gastar um pouco mais em um modelo de baixo consumo de energia pode ser a solução.

Analise cuidadosamente os serviços que você assina. Existe um plano mais econômico para seu telefone celular? E quanto à sua TV a cabo? A cobertura do seu seguro? É muito fácil contratar esses serviços e, depois, esquecê-los. Ou atualizar recursos sem perceber que, na verdade, você não os utiliza.

Ao pagar suas contas, faça isso não apenas em tempo hábil, mas, sempre que possível, antes da data do vencimento. As empresas de cartão de crédito precisarão, como muitas outras, de três dias para registrar o pagamento; então, a melhor alternativa é pagar logo que receber sua fatura, desde que tenha dinheiro em conta e possa quitar o saldo total. Se você deixar passar a data de vencimento, poderão ser cobrados uma elevada multa por atraso e os juros sobre os saldos antigos e novos.

Esperemos que, neste momento, você esteja desenvolvendo sua própria mentalidade de economia. Não fique tenso a cada vez que precisar gastar, mas preste mais atenção para onde está indo o seu dinheiro. Abandone o hábito de passar o cartão de crédito sem se importar com o valor total ou verificar o recibo. Apenas comprometa-se a adaptar algumas estratégias de bom senso, a fim de poupar um pouco mais o dinheiro que você trabalha tão arduamente para receber.

## MEDIDAS PARA REDUZIR OS CUSTOS EM EMPRESAS

Se você trabalhar em um escritório e seus clientes raramente o visitarem, haverá mais possibilidades de implementar medidas de redução de custos do que a filial de uma loja, onde os consumidores podem aparecer a qualquer momento durante o horário comercial. Uma das melhores coisas que pode fazer é pedir a todos que trabalham no escritório para olhar ao redor e pensar em maneiras de cortar gastos ou melhorar a experiência do cliente. Fizemos isso duas vezes na história da nossa empresa, e minha equipe apresentou ideias que realmente nos ajudaram a superar alguns momentos difíceis.

Outro recurso importante são os seus fornecedores. Se você oferecer um produto físico, haveria um método mais econômico de embalá-lo? Os materiais gráficos podem ser recriados, de modo a usar menos papel ou a economizar os gastos de impressão ou encadernação? Negocie com todos os seus fornecedores. Confie em mim, eles ficarão felizes em ajudá-lo a poupar dinheiro, se isso significar manter o seu negócio a longo prazo.

Conheço um escritório em que os serviços de jardinagem foram reduzidos de uma vez por semana para duas vezes por mês. Os serviços de limpeza foram reduzidos de três para uma vez por semana. Em algumas ocasiões, o próprio pessoal do escritório tinha de esvaziar as latas de lixo ou recarregar as toalhas de papel, mas a economia de custos fez esse esforço extra valer a pena. Se não frequentássemos aquele prédio diariamente, provavelmente jamais notaríamos qualquer diferença nos níveis de serviços recebidos. No comércio varejista, seria até concebível uma redução dos serviços de jardinagem, mas, certamente, não dos serviços de limpeza. Faça o que for mais adequado à sua situação. Na verdade, é importante estar atento a tudo o que se refere à manutenção das suas instalações. Isso inclui a manutenção permanente das unidades de aquecimento e refrigeração, dos computadores e de outros equipamentos do escritório. Limitar os gastos nessa área pode, quando você menos esperar, equivaler a alguns consertos ou substituições bastante dispendiosos.

No lugar onde moro, no Arizona, reparei que muitos varejistas instalaram claraboias em suas lojas. É uma região tão ensolarada que se tem conseguido reduzir a quantidade de energia elétrica necessária para que as lojas permaneçam alegremente iluminadas. Outros estão optando por lâmpadas que consomem menos energia, mas que fornecem luz suficiente para o tipo de trabalho realizado.

Algumas empresas estão mudando seu horário de expediente, funcionando, por exemplo, mais horas por dia, com um dia a menos por semana. Certas empresas não conseguiriam sobreviver se fechassem um dia por semana, mas outras administram isso muito bem. Basta assegurar-se de que os clientes serão avisados com antecedência sobre tais mudanças e lhes oferecer um número de emergência, em caso de alguma necessidade especial.

Pense em todos os serviços terceirizados. Você está pagando a um consultor ou serviço externos por algo que um de seus funcionários poderia assumir?

Quando chegar o momento de implementar medidas de redução de custos, recomendo que examine as descrições dos cargos de todos os integrantes de sua equipe. Além disso, faça uma avaliação retrospectiva dos pontos fortes e fracos de cada um deles. Se os negócios estiverem em ritmo lento, alguém que normalmente cuida da inclusão de dados poderia passar a fazer o serviço de atendimento ao cliente, de modo a gerar mais negócios? Quantas funções a sua equipe consegue exercer? Quais habilidades de cada um deles que você não vem explorando ao máximo? Conseguiria reunir o talento de duas pessoas em um projeto especial que, de outra forma, precisaria ser terceirizado? Isso não apenas pouparia investimentos da empresa, como poderia injetar um pouco de ânimo nos dois integrantes da equipe, que passariam a realizar uma tarefa que, normalmente, estaria fora de seu escopo de trabalho. De modo geral, ser convidado a experimentar algo novo é um grande estímulo ao moral do funcionário. Isso aumenta o interesse e o entusiasmo pelo trabalho. O entusiasmo aumenta o moral, e o moral aumenta a produtividade. Mesmo que os funcionários não tenham as habilidades e os dons necessários para conduzir o projeto até o fim, se eles conseguirem começá-lo bem, então você terá de pagar menos a um profissional externo para aprimorá-lo e concluí-lo.

Talvez o ponto seguinte pareça uma bobagem, mas é incrível o que pode sair daqui. Estávamos passando por algumas reduções de custos em nossa empresa. Comecei a pensar sobre o quanto gastávamos em material de escritório. Usando grande parte de uma manhã, saí à procura, em minha própria casa, de materiais básicos de escritório, como canetas, lembretes adesivos, clipes de papel e assim por diante. Fiquei espantado com a quantidade de material acumulado nos mais diversos cantos e recantos. Consegui levar uma sacola cheia para o escritório e mostrei o conteúdo para a minha equipe. Embora todos tenham gargalhado diante do velho e comedido Tom, isso também inspirou muitos deles a fazer o mesmo e a recolher todos os nossos suprimentos, colocando-os bem no meio do saguão. Com a quantidade de itens encontrados, conseguimos reduzir o orçamento do material de escritório daquele mês. Não foi exatamente o valor daquilo que encontramos, mas o exercício de organizar os suprimentos que fez com que nos regozijássemos em ser levemente comedidos. E tomar medidas em prol da empresa criou um nível de energia tal que, com certeza, isso se expandiu para outros aspectos do nosso negócio.

Durante os períodos de estagnação ou recessão, as pessoas compreendem que os aumentos salariais e as gratificações sofrerão impactos. Elas nunca gostam, mas compreendem. A maioria das pessoas se mostrará grata por ainda ter um emprego e não ficará tão preocupada assim com o aumento do custo de vida. Se você conseguir ser flexível em relação a isso, recomendo atrelar todo e qualquer aumento de salário à produtividade. Talvez deva repassar uma porcentagem da redução de despesas, se tiver outorgado ao seu pessoal a tarefa de encontrar maneiras de diminuir os custos sem afetar o serviço. Ou, se possível, compartilhar com a sua equipe uma porcentagem do aumento de receita nos negócios. A maioria das empresas acredita que gratificações vinculadas a resultados são bastante eficazes, e vinculá-las tanto à redução de custos quanto às receitas permite que até mesmo as equipes de recepcionistas ou de contabilidade participem. Nem sempre tudo está relacionado ao departamento de vendas.

Já soube de várias empresas e instituições públicas que solicitaram aos seus funcionários um período de afastamento sem vencimentos, a fim de salvaguardar totalmente alguns outros empregos. Quase todos concordarão com isso, para não ter de testemunhar alguns de seus colegas de trabalho perdendo definitivamente seus empregos.

## COMPARTILHANDO A RIQUEZA (OU AS ECONOMIAS)

Em tempos desafiadores, para além de uma desaceleração em seu nível de vendas, perceba que, seja lá o que estiver acontecendo, dificilmente estará se passando apenas com você. Provavelmente, também estará afetando outros membros de sua família, seus sócios nos negócios, seus vizinhos, seus clientes e seus fornecedores. Às vezes, você pode ter a sensação de que está atravessando uma névoa de incerteza ou a completa escuridão. Não permita que isso domine as suas ações.

Os verdadeiros profissionais em todos os campos de atuação sabem que suas medidas positivas não devem ser boas apenas para eles; que, por sua vez, se sentem impelidos a compartilhar com outras pessoas aquilo que aprenderam. Seja você o raio de sol que surge através das nuvens. Sempre aborde as pessoas dizendo algo positivo ou contando alguma história sobre algo que você ou alguém implementou e que fez uma diferença positiva.

Se, em sua área de vendas, você costuma criar listas de recursos ou enviar *newsletters* aos seus clientes fixos e potenciais, comece enviando uma série de dicas positivas. Talvez queira, inclusive, fazê-lo na forma de cartões ou e-mails visualmente atraentes, para que seus clientes possam compartilhar com outras pessoas. Quanto mais as dicas positivas se disseminarem, melhor para todos nós. Inclua detalhes, se for o caso, sobre o que cada uma das dicas fez por você ou por alguém. Uma advertência: sempre obtenha permissão antes de divulgar as ações de outra pessoa.

## RESUMO

- Antes de implementar mudanças, você considera como elas impactarão os seus clientes.
- Você analisa o valor de cada cliente para você e para a sua empresa.
- Você está desenvolvendo uma mentalidade de economia no que diz respeito às suas despesas.
- Você se compromete a compartilhar com outras pessoas as reduções de custos nas quais foi bem-sucedido.

# 12. Vender é o serviço

*Não é o estilo de roupa que se usa, nem o tipo de automóvel que se dirige, nem a quantidade de dinheiro que se tem no banco que conta. Isso não significa nada. A única medida para o sucesso é, simplesmente, o serviço.*

George Washington Carver

A base de uma carreira bem-sucedida na área de vendas deve ser o desejo de atender às necessidades dos outros. Admitamos, a maioria das pessoas escolhe essa área porque sabe que há um bom dinheiro a ser feito ali, embora o dinheiro só apareça depois de se prestar o serviço. Na verdade, sempre digo aos meus alunos para pegar o S da palavra *Serviço* e alterá-lo para um cifrão, assim: *$erviço.* Essa imagem mental os ajuda a entender que a renda recebida é diretamente proporcional à quantidade de serviço que prestamos aos outros. É um tipo de reflexo retroativo do quão bem fazemos o que fazemos.

Esteja atento, pois se o dinheiro, alguma vez, se tornar mais importante do que o serviço que você oferece, irá parar de fazer dinheiro, porque isso significa que está em vendas pelos motivos errados. Para ser verdadeiramente bem-sucedido nessa profissão, é preciso ter um interesse sincero nas necessidades dos outros.

Algumas pessoas decidem "experimentar" a área de vendas enquanto esperam suas carreiras deslancharem, pois a carreira de vendedor nem sempre exige uma formação superior. Quando se faz apenas uma experiência, há poucas chances de se sair tão bem quanto alguém que se dedica a isso. Não deixe que a facilidade de entrar para o ramo de vendas, qualquer que seja ele, permita que você o considere um negócio banal. Meu mentor, o grande Douglas J. Edwards, já falecido, costumava dizer que vender é o trabalho árduo mais bem pago que existe e o trabalho fácil mais mal pago que existe. Se você não estiver disposto a trabalhar duro, não espere altos rendimentos. Evidentemente, algumas áreas exigem formação específica ou licenciamento, mas muitas situações requerem apenas uma boa atitude (aquela atitude de *serviço*) e o desejo e a capacidade de conhecer os produtos.

Algumas pessoas começam a vender na juventude e continuam fazendo isso pelo resto da vida, pois é tudo o que sabem fazer. Penso que todos deveríamos vender alguma coisa em algum momento de nossas vidas. Quanto mais jovens formos, melhor. Isso nos obriga a nos comunicar com outras pessoas. Desafia-nos a dizer e fazer as coisas certas para alcançar um bom resultado. E é um excelente treinamento para a vida em si. Afinal, todos nós estamos vendendo algo.

Nós nos vendemos diariamente em nossos empregos — estejam eles relacionados às vendas ou não. Ao procurar uma nova colocação, estamos vendendo o produto que conhecemos melhor — nós mesmos e as habilidades que desenvolvemos. Vendemos a pessoa divertida que somos aos nossos amigos. Vendemos a pessoa amorosa que somos aos membros de nossa família. Vendemos a pessoa cuidadosa que somos aos nossos vizinhos. Vendemos nossas ideias e valores aos nossos filhos ou aos filhos de outras pessoas sobre as quais exercemos alguma influência.

Quanto mais entendermos que cada interação com outro ser humano é uma situação de vendas, mais bem-sucedidos nos tornaremos na vida como um todo. Nosso objetivo em cada interação, então, será chegar a uma situação de ganhar-ou-ganhar para todos os envolvidos, em vez de uma competição para ver quem se sai melhor.

Não importa como chegamos até aqui; quase todos nós permanecemos na carreira de vendas porque gostamos de como nos sentimos ao ajudar as pessoas e as empresas a tomarem decisões de compra ou a se envolver com nossos produtos ou serviços. Com base nas conversas com meus alunos, eu diria que, entre os vendedores, o nível de satisfação com o trabalho é permanentemente elevado, mesmo durante tempos desafiadores.

Sei que, inicialmente, me estabeleci na corretagem de imóveis por conta da grande satisfação da qual desfrutava. Eu me sentia muito bem ajudando as famílias mais jovens e algumas pessoas mais velhas — que sempre haviam sonhado com a casa própria — a se decidir pela compra de um imóvel. Por meio das minhas palavras e ações, as ajudei a se informar o bastante para tomar decisões sensatas. Ajudei-as a perceber que poderiam bancar esse sonho. Mais tarde, a luz do entendimento nos rostos dos meus alunos me fez optar por vender "habilidades de venda" — algo de que ainda gosto muito, até hoje.

Há uma quantidade enorme de realização pessoal a ser usufruída em uma carreira de vendas bem administrada. Gosto de comparar minha área com a área médica. Assim como os médicos, nosso trabalho é analisar os sintomas e fazer recomendações que conduzam à melhoria da saúde. Os sintomas dos quais tratamos são as necessidades dos nossos clientes potenciais. A saúde deles é um resultado direto dos benefícios de nossas ofertas. E, como a maioria dos médicos, somos bem pagos por nossos conhecimentos, especialidades e serviços.

Quantas outras carreiras existem no planeta em que você ajuda as pessoas a comprar algo que as beneficiará, recebe recompensa financeira ao fazê-lo e elas ainda se sentem gratas ao fim da experiência? Sim, se estiver fazendo corretamente o seu trabalho de prestação de serviços, enquanto você as agradece pela transação, elas o agradecem por tê-las ajudado. Isso é ser ovacionado nas vendas — um sincero agradecimento de seus clientes, depois de terem tomado a decisão de adquirir os benefícios do seu produto ou serviço. Como não amar isso?

As pessoas melhoram depois de nos conhecer. As empresas realizam melhor suas tarefas por nossa causa. Fazemos com que as pessoas pareçam bem e se sintam bem. Nós as ajudamos a encontrar maneiras de ter mais, de ser mais e de produzir mais em suas vidas e negócios. Vender é a melhor profissão do mundo!

## ATENDENDO ÀS MASSAS

A profissão de vendedor também ajuda a satisfazer nossa curiosidade natural sobre o mundo que nos circunda. Conhecemos pessoas novas o tempo todo. Mesmo que nosso produto tenha um público potencial relativamente pequeno, nossa atitude de servir extravasa para nossas vidas. Quando conhecemos uma pessoa nova, aprendemos um pouco ou muito sobre sua vida, dependendo do tipo de produto ou serviço que prestamos. E, na maioria dos casos, nos tornamos pessoas melhores depois de conhecê-las. Seus pensamentos, seus sonhos e sua situação ampliam a nossa compreensão para além de nossas pequeninas aldeias.

Depois de se abrir por meio de uma nova experiência ou de uma nova concepção provocada pela vivência de outra pessoa, nossa mente não recua nunca mais. Somos criaturas em eterno crescimento e expansão, nos aprimorando mais do que muitos outros seres humanos, por causa da carreira que escolhemos.

Como profissionais de vendas, vivenciamos o desafio de encontrar, informar e persuadir os outros. Exercitamos os músculos da criatividade. Estamos constantemente buscando novas relações, novas formas de envolver as pessoas e aguçar a sua curiosidade por nossos produtos e serviços. Atendemos às suas necessidades não apenas com os nossos produtos, mas com a nossa experiência, com o conhecimento que adquirimos com a experiência alheia e as relações que ajudamos a criar.

Os vendedores são pequenos catalisadores do mundo — eles fazem as coisas acontecer. Se não assumíssemos as responsabilidades da profissão, nada aconteceria. Pessoas e empresas que criam produtos não saberiam o que fazer para comercializá-los. Pessoas e empresas com determinadas necessidades não conseguiriam satisfazê-las. Isso tudo remete à venda como um serviço importante e vital para o mundo. Você não está feliz por ter escolhido essa profissão?

## ATENDENDO ÀS SUAS PRÓPRIAS NECESSIDADES

Talvez haja momentos em que você não se sinta à altura de oferecer seu melhor serviço. É de se esperar. O importante é que você perceba que não está dando tudo de si e oferecendo o melhor que pode naquele momento. Tome nota ou memorize que, da próxima vez, deve ir além com qualquer cliente que, hoje, esteja recebendo menos do que o seu melhor.

Ora, o seu comportamento a cada momento é influenciado pela opinião que tem de si mesmo. Se algo estiver acontecendo em sua vida e sua autoestima estiver baixa, talvez considere difícil reunir forças para oferecer o mais alto nível de serviço aos seus clientes. Tenha fé em si mesmo. Você é capaz de fazer qualquer coisa que se determinar a fazer. Depois de se convencer disso, descobrirá como fazer e estará disposto a pagar o preço para aprender a fazê-lo bem.

Se estiver tendo dificuldades em encontrar energia para enfrentar os desafios diários da sua carreira de vendedor, é hora de controlar os seus pensamentos. Pensamentos conduzem a ações. Se os seus pensamentos forem negativos ou assustadores, você corre o risco de se tornar inferior ao que é capaz de ser. Por que se contentar com menos? Você não conseguirá ser bem-sucedido enquanto sua mente estiver obscurecida pela confusão ou pelo medo. O medo cria uma resistência à mudança — e, conforme abordamos ao longo deste livro, a mudança é o principal ingrediente do sucesso. Comece a melhorar a sua atitude e a sua situação percebendo que a infelicidade é um indício de que está pronto para a mudança. Você é o arquiteto de sua própria vida. Nada do que aconteceu para trazê-lo até aqui importa mais. A única coisa que se pode controlar é o momento presente. Se você se permitir pensar que as coisas não irão melhorar, estará se isolando em uma prisão mental. E, se não agir, sofrerá uma lenta morte emocional.

No mínimo, quando estiver deprimido, faça algo fora do padrão usual. Levante-se em um horário diferente. Vá para a cama em outro momento. Tome o café da manhã antes de tomar banho, e não o inverso. Escolha outro caminho para chegar ao trabalho. Estacione em uma vaga diferente da qual você costuma estacionar. Ao agir de forma distinta, sua mente sairá do piloto automático. Você verá as coisas de forma distinta. É provável que novas ideias apareçam.

Certa vez, ouvi uma palestra sobre criatividade, em que os instrutores diziam que era necessário fazer um esforço consciente para vestir a primeira peça de roupa todas as manhãs. Se você costuma colocar suas meias antes, calce-as por último. Se coloca a perna esquerda nas calças em primeiro lugar, tente colocar a perna direita. E assim por diante. Pareceu uma bobagem, mas quando experimentei fazê-lo, considerei mais desafiador do que o esperado. Minha mente consciente teve de ser ativada para que eu pudesse me concentrar na execução de cada tarefa. Isso fez com que eu me sentisse diferente do que me sentia ao me vestir automaticamente, enquanto pensava no que aquele dia me reservaria.

É importante ter equilíbrio na carreira de vendedor. É impossível dar, dar e dar aos outros o tempo todo sem esgotar as energias física e mental. É por isso que recomendo fortemente que você trabalhe com alguma espécie de planejamento, certificando-se de programar regularmente atividades não relacionadas às vendas. Mesmo que ame o seu trabalho e a sua família incondicionalmente, também é necessário amar a si próprio. Você demonstra isso incluindo hábitos saudáveis em sua agenda — fazendo exercícios, se alimentando corretamente e reservando tempo para o silêncio, o descanso e a renovação. Manter um senso de equilíbrio aumentará a criatividade da qual precisa para enfrentar os momentos desafiadores.

## ANULANDO OS EFEITOS DA NEGATIVIDADE

Não se permita mergulhar na negatividade, não importa o que esteja acontecendo à sua volta. A negatividade nada mais é do que uma forma de justificar a mediocridade. É uma maneira de racionalizar os motivos pelos quais os outros podem estar se saindo melhor do que você. E o que fazemos quando "racionalizamos"? Compramos esse raciocínio. Nos apossamos dele. Não deixe que isso aconteça com você.

Se, a qualquer momento, você julgar que o que está fazendo não é muito positivo ou bom, dê um passo atrás e pergunte quando se deu permissão para ser outra coisa que não uma pessoa bem-sucedida. Comece protegendo a sua mente dos pensamentos negativos. Pense sobre o que você pensa.

Se você trabalhar cercado por pessoas negativas, esteja consciente de como as atitudes delas afetam as suas. Limite o tempo que despende ao escutar o que elas têm a dizer. Na verdade, esforce-se para ouvir somente as pessoas que estão obtendo melhores resultados — aquelas que são a pessoa que você quer ser.

Nem todos os que recebem meu treinamento ou leem meus livros se tornam bem-sucedidos. Isso sempre me incomodou, pois as mesmas informações estão disponíveis para todo mundo. Sempre me perguntei por que alguns levavam isso a sério, costumando me contar o quanto seus índices de fechamento e de satisfação no trabalho melhoraram, enquanto de outros nunca mais ouvi falar. Fui forçado a aceitar que eles estavam procurando respostas fáceis ou que não eram verdadeiramente dedicados para atender às necessidades dos outros.

Se, neste momento, você perceber que não está fazendo algumas coisas que deveria estar fazendo, pare de enganar a si mesmo. Desfaça-se de quaisquer máscaras atrás das quais possa estar se escondendo. Abdique do seu orgulho e admita que pode fazer melhor. Não aceite a mediocridade.

Você é a soma total das suas escolhas. Ser mais feliz e mais produtivo significa, apenas, que fará escolhas diferentes. Você será bem-sucedido quando puder desfrutar de sua vida e realizar o seu potencial. Você é uma combinação única de dons e talentos. Explore-os! Nunca desista de si mesmo.

Certa vez, ao ser questionado sobre a sua genialidade, Thomas Edison respondeu: *"Genialidade? Nada! Manter-se fiel a ela é que é genial. (...) Eu nunca fracassei."* Quando você experimenta alguma coisa nova, talvez ela não funcione tão bem quanto você esperava. Porém, não desista. Conceda-se o benefício da dúvida. Pergunte a si mesmo: *"O que fiz de certo?"* Primeiro, tentou algo novo. Isso estava certo. Agora, desmonte o que você tentou e recupere os componentes e as peças que deram certo. Quanto aos que não funcionaram muito bem — pense em como você poderá adaptá-los para fazê-los funcionar melhor.

## TREINANDO-SE PARA O SUCESSO

Durante tempos desafiadores, é muito importante dedicar-se à formação, à prática e à melhoria de tudo o que você faz. Estar bem treinado o ajudará a ser uma daquelas pessoas que prosperam não apenas no momento atual, mas também quando houver uma reviravolta, como sempre costuma acontecer. E não dependa apenas do treinamento oferecido pela sua empresa. Pelo fato de estar lendo este livro, suponho que você é automotivado. Isso é ótimo. Muitos vendedores medíocres tentam atribuir a falta de treinamento ou de motivação para enfrentar seus desafios a uma fonte externa, como a empresa em que trabalham. Ninguém pode motivá-lo, a não ser você mesmo. As outras pessoas podem responsabilizá-lo, mas não podem mudar sua atitude em relação ao que você faz. Elas não podem injetar-lhe doses de ética ou de entusiasmo. No fim, tudo depende de você.

Se, depois de ler todo este material, colocar o livro de lado e nunca mais o consultar, provavelmente as coisas permanecerão as mesmas, como eram antes da leitura. Se permanecer na mesma situação o faz feliz, tudo bem. Seja feliz.

Porém, se você não estiver satisfeito com suas atuais posições na vida e na carreira, mantenha este livro em sua mesa, no seu carro ou em sua pasta — em algum lugar de fácil acesso. Antes de estabelecer contato com um cliente, folheie-o e repasse apenas as terminologias apresentadas (espero que você tenha lido o livro com um marcador, lembretes adesivos e sinalizadores.) Ao menos, as palavras que lhe ensinei a usar o farão pensar e falar de forma diferente. Você começará a dizer as coisas da maneira que seus clientes desejam ouvi-las. Você lhes inculcará a sensação de propriedade. Pensará em mais e melhores formas de ajudá-los a racionalizar suas decisões.

Cada um de nós experimenta a fartura até o limite em que nos permitirmos fazê-lo. Quando você vale mais, ganha mais. Continue encontrando meios de neutralizar a sua resistência natural à mudança. Sinta-se desconfortável onde estiver e tomará as medidas necessárias para chegar onde quer. Você conseguirá alterar a sua vida modificando a sua atitude.

Pense na imagem mental de sua vida. Se você não tiver certeza do seu aspecto, olhe à sua volta. Seu ambiente é um reflexo do que está pensando. Se não gosta do que vê, comece a mudar, alterando a imagem mental de si mesmo, de sua carreira e da vida na qual se sentiria mais feliz. Se estivesse vivendo sua vida ideal neste exato momento, como seria um dia típico? Em que tipo de quarto ou cama acordaria todas as manhãs? O que veria quando abrisse o armário e as gavetas? Como você se sentiria quando olhasse o espelho? Que tipo de alimento forneceria ao seu corpo? Que tipo de carro dirigiria? Use o tempo que for necessário para imaginar esse dia. Quando tiver uma imagem clara dele, desde a primeira hora até o momento de se deitar à noite, perceba o quanto se sentirá satisfeito. Pratique esse exercício mental várias vezes por semana e você manterá esse sentimento de satisfação. Em breve, você se descobrirá proporcionando um nível de serviço aos seus clientes que o premiará com a vida que visualiza em sua imagem mental.

## RESUMO

- O dinheiro é um reflexo da quantidade de serviço que você presta.
- Vendemos o tempo todo — nós mesmos, nossas ideias, nossos valores *e* nossos produtos.
- Nosso crescimento é diretamente proporcional ao número de pessoas que encontramos e atendemos.
- Percebemos a necessidade de atender às nossas próprias necessidades, bem como às necessidades dos outros.

# Referências bibliográficas

(em ordem de menção)


p. 16 Tom Hopkins International, Inc. http://www.tomhopkins.com/

p. 21 John G. Miller. *QBQ! The Question Behind the Question.* [Você é mais capaz do que pensa]. http://www.qbq.com/

p. 53 Daily Activity Graph [Gráfico de Atividades Diárias]. http://www.tomhopkins.com/free_resources.html

p. 55 SendOutCards. http://www.tomhopkins.com/SOCcontact/SOCcontact.html

p.55 Para redigir um bilhete de agradecimento. http://www.tomhopkins.com/pdf/ThankYouNotePhraseology.pdf

p. 72 Henry Ford. http://en.wikipedia.org/wiki/Ford_Model_T

p. 85 Earl Nightingale. *Lead the Field.* http://www.nightingale.com/prod_detail.aspx?productidn=116

p. 95 Tom Hopkins. *How to Master the Art of Selling* [Como ser um grande vendedor]. http://www.tomhopkins.com/mm5/merchant.mvc?Screen=PROD&Store_Code=T&Product_Code=1035&Category_Code=classics

p. 96 Dale Carnegie. *How to Win Friends and Influence People* [Como fazer amigos e influenciar pessoas]. http://www.amazon.com/How-Win-FriendsInfluence-People/dp/0671723650

p. 98 Tom Hopkins e Pat Leiby. *Sell It Today, Sell It Now.* [Venda hoje, venda agora]. http://www.tomhopkins.com/mm5/merchant.mvc?Screen=PROD&Store_Code=T&Product_Code1530&Category_Code=sales_closing

| | |
|---|---|
| p. 113 | Dan S. Kennedy. http://www.dankennedy.com/index.php |
| p. 202 | Laura Laaman. http://www.lauralaaman.com/ |
| p. 244 | Sandy Botkin. http://www.taxreductioninstitute.com/ |

# Índice remissivo

ATENDIMENTO AO LEITOR E VENDAS DIRETAS

Você pode adquirir os títulos da Best Business por meio do Marketing Direto do Grupo Editorial Record.

- Telefone: (21) 2585-2002
  (de segunda a sexta-feira, exceto feriados, de 9h às 18h)
- E-mail: sac@record.com.br
- Fax: (21) 2585-2010

Entre em contato conosco caso tenha alguma dúvida, precise de informações ou queira se cadastrar para receber nossos informativos de lançamentos e promoções.
bestbusiness@record.com.br
www.record.com.br

best.
business

Este livro foi composto na tipografia Palatino LT Std Roman,
em corpo 10,5/15, e impresso em papel off-white no Sistema
Digital Instant Duplex da Divisão Gráfica da Distribuidora Record.